THE

DUFF

Kody Keplinger

THE DUFF

Traducción de Aida Candelario Castro

**Plataforma
Editorial**

The Duff, originalmente publicado en inglés, en 2010, por Poppy,
an imprint of Little, Brown and Company, Nueva York

*This edition published by arrangement with Little, Brown and Company,
New York, New York, USA. All rights reserved.*

Primera edición en esta colección: septiembre de 2013
Séptima edición: septiembre de 2015

© Kody Keplinger, 2010
© de la traducción, Aida Candelario Castro, 2013
© de la presente edición: Plataforma Editorial, 2013

Plataforma Editorial
c/ Muntaner, 269, entlo. 1ª – 08021 Barcelona
Tel.: (+34) 93 494 79 99 – Fax: (+34) 93 419 23 14
www.plataformaeditorial.com
info@plataformaeditorial.com

Depósito legal: B. 10.120-2013
ISBN: 978-84-15880-34-9
IBIC: YF
Printed in Spain – Impreso en España

Realización de cubierta:
Lola Rodríguez

Fotocomposición:
Grafime

El papel que se ha utilizado para imprimir este libro proviene
de explotaciones forestales controladas, donde se respetan
los valores ecológicos y sociales y el desarrollo sostenible del bosque.

Impresión:
Romanyà Valls
Capellades (Barcelona)

Para Aja, cuyo cumpleaños nos dio suerte a ambas.

1

Ya estábamos otra vez. Casey y Jessica estaban haciendo el ridículo una vez más, meneando el culo como si estuvieran en un videoclip de una canción rap. Aunque supongo que a los tíos les va esa mierda, ¿no? Notaba cómo se me iban muriendo las neuronas mientras me preguntaba, por enésima vez esa noche, por qué les había permitido que volvieran a llevarme allí.

Siempre que íbamos al Nest, se repetía la misma historia. Casey y Jessica bailaban, coqueteaban y llamaban la atención de todos los miembros del sexo opuesto hasta que, al final, su protectora mejor amiga (es decir, yo) se las llevaba a rastras de la fiesta antes de que alguno de aquellos salidos pudiera aprovecharse de ellas. Mientras tanto, me quedaba sentada a la barra toda la noche hablando con Joe, el camarero treintañero, sobre «los problemas de los jóvenes de hoy en día».

Me imaginaba que Joe se ofendería si le dijera que uno de los mayores problemas era ese dichoso sitio. El Nest antes era un bar de verdad, pero tres años atrás lo convirtieron en un local para adolescentes. Aún conservaba la desvencijada barra de roble, pero Joe solo servía refrescos mientras los chicos bailaban o escuchaban música en directo.

Yo odiaba aquel lugar por la sencilla razón de que hacía que mis amigas, seres bastante racionales la mayor parte del tiempo, se comportaran como idiotas. Aunque, en su defensa, debería añadir que no eran las únicas. La mitad del Instituto Hamilton se congregaba allí los fines de semana, y nadie se marchaba de la discoteca con la dignidad intacta. En serio, ¿qué tenía eso de divertido? ¿A alguien le apetece bailar la misma música tecno semana tras semana? ¡Claro! Y puede que me ligue a un sudoroso jugador de fútbol americano obsesionado con el sexo. Tal vez mantengamos conversaciones profundas sobre política y filosofía mientras nos restregamos en la pista de baile. ¡Puaj! Sí, claro.

Casey se dejó caer en el taburete situado junto al mío.

—Deberías venir a bailar con nosotras, B. —dijo sin aliento después de tanto menear el trasero—. Es muy divertido.

—Divertidísimo —masculé.

—¡Ay, Dios mío! —Jessica se sentó al otro lado con tanta energía que la coleta rubio miel le rebotó sobre los hombros—. ¿Lo habéis visto? ¿Lo habéis visto bien? ¡Harrison Carlyle acaba de intentar ligar conmigo! ¿Lo habéis visto? ¡Madre mía!

Casey puso los ojos en blanco.

—Te ha preguntado dónde habías comprado los zapatos. Está claro que es gay.

—Es demasiado guapo para ser gay.

Casey la ignoró mientras se pasaba los dedos por detrás de la oreja, como si se apartara unos mechones invisibles. Ahora llevaba el pelo rubio muy corto y alborotado, pero todavía tenía esa costumbre.

—Deberías bailar con nosotras, B. Te hemos traído para

poder pasar tiempo contigo. No es que Joe no sea un tipo divertido... –Le guiñó un ojo al camarero, probablemente con la esperanza de conseguir refrescos gratis–. Pero somos tus amigas. Deberías venir a bailar. ¿Verdad, Jess?

–Por supuesto –asintió Jessica sin quitarle la vista de encima a Harrison Carlyle, que estaba sentado en un reservado al otro lado de la sala. Luego se quedó callada y se volvió hacia nosotras–. Un momento. ¿Qué? No estaba prestando atención.

–Pareces aburrida como una ostra aquí sentada, B. Quiero que tú también te diviertas.

–Estoy bien –mentí–. Me lo estoy pasando genial. Ya sabéis que no se me da bien bailar. No haría más que estorbaros. Id vosotras y divertíos a tope. Yo estoy bien aquí.

Casey me miró entrecerrando sus ojos color avellana.

–¿Estás segura? –me preguntó.

–Segurísima.

Frunció el ceño, pero después de un segundo se encogió de hombros, agarró a Jessica por la muñeca y la arrastró hacia la pista de baile.

–¡Por el amor de Dios! –exclamó Jessica–. ¡Más despacio, Case! ¡Vas a arrancarme el brazo!

Se abrieron paso alegremente hasta el centro de la pista, meneando las caderas al compás de la machacona música tecno.

–¿Por qué no les has dicho que odias estar aquí? –preguntó Joe mientras me pasaba un vaso de Cherry Coke.

–No lo odio.

–Tampoco sabes mentir –respondió antes de que un grupo de alumnos de primero empezaran a pedir bebidas a gritos desde el otro extremo de la barra.

Le di un sorbo al refresco mientras le echaba un vistazo al reloj situado encima de la barra. El segundero parecía haberse quedado parado. Recé para que el maldito trasto se hubiera roto y fuera más tarde de lo que pensaba. No les pediría a Casey y Jessica que nos fuéramos hasta las once. Un minuto antes y me convertiría en una aguafiestas. Pero según el reloj ni siquiera eran las nueve, y la música tecno estaba provocándome una migraña, agravada por la parpadeante luz estroboscópica. «¡Muévete, segundero! ¡Muévete!»

—¿Cómo va eso?

Puse los ojos en blanco y me volví para fulminar con la mirada a aquel inoportuno intruso. La situación se repetía de vez en cuando. Algún chico (por lo general colocado o apestando a sudor) se sentaba a mi lado y realizaba un chapucero intento de entablar conversación. Era evidente que esos especímenes no habían heredado el gen de la observación, pues la expresión de mi cara dejaba perfectamente claro que no estaba de humor para dejarme seducir.

Sorprendentemente, el chico que se había sentado a mi lado no desprendía olor a maría ni a sobaco. De hecho, puede que el olor que notaba en el aire fuera de colonia. Pero mi indignación no hizo más que aumentar cuando comprendí a quién pertenecía la colonia. Habría preferido a un porrero greñudo.

El maldito Wesley Rush.

—¿Qué quieres? —pregunté sin molestarme en ser amable.

—¿Te han dicho alguna vez que eres muy simpática? —repuso Wesley con sarcasmo—. Pero, ya que lo preguntas, he venido a hablar contigo.

—Bueno, pues se siente, porque no quiero hablar con nadie esta noche.

Sorbí el refresco de forma bastante ruidosa con la esperanza de que captara la indirecta, nada sutil, y se marchara. Pero no era mi día de suerte. Sentí cómo sus ojos gris oscuro me recorrían lentamente. ¿Ni siquiera podía molestarse en disimular y fingir que me miraba a la cara? ¡Qué asco de tío!

–Vamos –dijo con tono burlón–. No seas tan borde.

–Déjame en paz –solté con los dientes apretados–. Vete a probar tus encantos con algún zorrón con baja autoestima, porque conmigo no funcionan.

–No me interesan los zorrones –contestó–. No me va ese tipo de chicas.

Solté un bufido.

–Cualquier chica que se fije en ti es un zorrón, Wesley. Nadie con buen gusto, clase o dignidad te encontraría atractivo.

Vale, eso había sido una mentirijilla. Wesley Rush era el peor casanova que había pisado nunca el Instituto Hamilton... pero estaba bastante bueno. Quizá si no abriera la boca y dejara las manos quietas... tal vez, solo tal vez, resultaría soportable. Por lo demás, era un auténtico gilipollas. Un gilipollas salido.

–Y supongo que tú tienes buen gusto, clase y dignidad, ¿no? –preguntó con una sonrisa.

–Pues sí.

–Qué pena.

–¿Estás intentando ligar conmigo? –le pregunté–. Porque, si es así, se te da de pena.

Wesley soltó una carcajada.

–Se me da de maravilla ligar. –Se pasó los dedos por el pelo oscuro y rizado y esbozó una petulante sonrisa torcida–. Solo intento ser amable y charlar un rato.

–Lo siento, pero no me interesa. –Me volví y le di otro sorbo al refresco, pero aquel plasta no se movió ni un centímetro–. Ya puedes largarte –dije con tono decidido.

Wesley suspiró.

–Vale. No estás cooperando nada, ¿sabes?; así que supongo que lo mejor es que sea sincero contigo. Lo reconozco: eres más lista y más testaruda que la mayoría de las chicas con las que suelo hablar. Pero he venido buscando algo más que una conversación ingeniosa. –Dirigió la mirada hacia la pista de baile–. La verdad es que necesito tu ayuda. Resulta que tus amigas están como un tren. Y tú, querida, eres la Duff.

–¿La qué?

–La Duff:[1] la amiga fea y gorda del grupo –aclaró–. Que en este caso serías tú, sin ánimo de ofender.

–¡Yo no soy la...!

–Oye, no te pongas a la defensiva. No es que seas un ogro ni nada por el estilo, pero en comparación... –Encogió los anchos hombros–. Piensa en ello. ¿Para qué te traen si no bailas?

Tuvo el descaro de darme una palmadita en la rodilla, como si intentara consolarme. Me aparté bruscamente, y él, sin inmutarse, levantó una mano para retirarse unos mechones de la cara.

–Mira –continuó–, tus amigas están buenas... muy buenas. –Calló un momento mientras observaba lo que sucedía en la pista de baile antes de volverse de nuevo hacia mí–. La cuestión es que los científicos han demostrado que

1. Duff, en inglés, es el acrónimo de *designated ugly fat friend* («nombrada amiga fea y gorda»). (*N. de la E.*)

todo grupo de amigas tiene un eslabón débil, una Duff. Y a las chicas les gustan los chicos que se relacionan con sus Duff.

—No me había enterado de que ahora los drogatas se hicieran llamar científicos.

—No te cabrees —repuso—. Lo que digo es que a las chicas como tus amigas les parece sexy que los chicos sean sensibles y charlen con las Duff. Así que, al hablar contigo, estoy duplicando mis probabilidades de un polvo esta noche. Ayúdame, anda, y finge que disfrutas de la conversación.

Me quedé mirándolo, atónita, largo rato. Está claro que la auténtica belleza se halla en el interior. Puede que Wesley Rush tuviera el cuerpo de un dios griego, pero su alma estaba tan negra y vacía como el interior de mi armario. ¡Menudo cabrón!

Me puse en pie a toda velocidad y lancé el contenido de mi vaso en dirección a Wesley. La Cherry Coke lo empapó, salpicándole el polo blanco (que parecía bastante caro). Las gotas de líquido rojo oscuro brillaron en sus mejillas y tiñeron su cabello castaño. En su cara se reflejó la ira mientras apretaba la marcada mandíbula con fuerza.

—¿A qué ha venido eso? —soltó mientras se limpiaba la cara con el dorso de la mano.

—¿A ti qué te parece? —grité con los puños apretados a los costados.

—No tengo ni la más remota idea, Duffy.

Me puse roja como un tomate por la rabia.

—Si crees que voy a permitir que una de mis amigas salga de aquí contigo, Wesley, estás muy pero que muy equivocado —le espeté—. Eres un imbécil mujeriego y superficial, y espero que las manchas de refresco no salgan de ese polo de pijo.

Justo antes de marcharme con paso airado, lo miré por encima del hombro y añadí:

—Y no me llamo Duffy, sino Bianca. Estamos en la misma clase desde que empezamos el instituto, hijo de puta egocéntrico.

Nunca se me hubiera pasado por la cabeza que podría decir algo así, pero gracias a Dios el maldito tecno estaba altísimo. Joe fue el único que se enteró, y probablemente aquello le pareció la monda.

Tuve que abrirme paso a empujones por la abarrotada pista de baile para encontrar a mis amigas. Cuando las localicé, agarré a Casey y a Jessica por los codos y tiré de ellas hacia la salida.

—¡Eh! —protestó Jessica.

—¿Qué pasa? —preguntó Casey.

—Nos largamos ya —contesté tirando de mis reacias amigas—. Os lo explicaré en el coche. No puedo soportar seguir en este antro ni un segundo más.

—¿No puedo despedirme de Harrison primero? —gimió Jessica intentando soltarse.

—¡Jessica! —Sentí un doloroso tirón en el cuello cuando me volví para mirarla—. ¡Es gay! No tienes ninguna posibilidad, así que déjalo de una vez. Necesito salir de aquí. Por favor.

Conseguí llevarlas al aparcamiento, donde el gélido aire de enero nos azotó la cara. Casey y Jessica se rindieron y se apretaron contra mí. Deberían haberse percatado de que sus modelitos, por muy sexys que fueran, no estaban diseñados para soportar aquel clima. Nos dirigimos a mi coche formando una piña y no nos separamos hasta que llegamos al parachoques delantero. Apreté el botón de desbloqueo del llavero y entramos sin perder ni un segundo en mi coche, que estaba apenas más caldeado que el exterior.

Casey se acurrucó en el asiento delantero y dijo castañeteando los dientes:

—¿Por qué nos vamos tan pronto? Deben de ser las nueve y cuarto como mucho, B.

Jessica estaba enfurruñada en el asiento trasero, envuelta en una vieja manta como si fuera un capullo. Mi birria de calefacción casi nunca se dignaba funcionar, así que siempre llevaba unas cuantas mantas en el coche.

—He discutido con alguien —les expliqué mientras metía la llave en el contacto con más fuerza de la necesaria—. Le he tirado mi refresco encima y no me apetecía quedarme a ver cómo se lo tomaba.

—¿Quién ha sido? —preguntó Casey.

Temía esa pregunta, porque sabía cuál sería su reacción.

—Wesley Rush.

Mis amigas suspiraron, embelesadas como niñatas.

—Oh, venga ya —me quejé—. Ese tío es un mujeriego. No lo soporto. Se tira todo lo que se mueve y tiene el cerebro en la bragueta, lo que significa que es microscópico.

—Eso lo dudo mucho —repuso Casey con otro suspiro—. Por Dios, B., solo tú podrías encontrarle algún defecto a Wesley Rush.

La fulminé con la mirada mientras giraba la cabeza para salir marcha atrás del aparcamiento.

—Es un idiota.

—No es verdad —intervino Jessica—. Jeanine me contó

17

que estuvo hablando con ella en una fiesta a la que fue con Vikki y Angela hace poco. Me dijo que se acercó así sin más y se sentó con ella. Y que fue muy amable.

Eso tenía sentido. Si Jeanine había salido con Angela y Vikki, sin duda ella era la Duff del grupo. Me pregunté cuál de ellas se habría ido con Wesley esa noche.

—Es encantador —insistió Casey—. Lo que pasa es que te ha salido la vena cínica, como siempre. —Me dedicó una cálida sonrisa—. Pero ¿qué diablos te ha hecho para que le lanzaras el refresco? —Parecía preocupada. Ya era hora—. ¿Te ha dicho algo, B.?

—No —mentí—, nada. Es solo que me pone de mala leche. «Duff.»

Aquella palabra me daba vueltas por la cabeza mientras avanzaba por la calle Quinta. No tuve ánimos de contarles el nuevo y maravilloso insulto que acababa de añadir a mi vocabulario; pero, cuando me eché un vistazo en el retrovisor, el comentario de Wesley de que yo era la acompañante carente de atractivo que siempre andaba pegada a sus guapas amigas (aunque muchas veces tuvieran que obligarme a salir) pareció confirmarse. Jessica tenía un cuerpo perfecto con forma de guitarra y unos ojos marrones cálidos y cordiales, mientras que Casey poseía un cutis sin la menor imperfección y unas piernas interminables. Yo no podía compararme con ninguna de ellas.

—Bueno, como es tan temprano, propongo que vayamos a otra fiesta —sugirió Casey—. He oído que hay una en Oak Hill. Angela me contó esta mañana que un universitario ha vuelto a casa por Navidad y ha decidido montar un fiestón. ¿Queréis ir?

—¡Sí! —Jessica se enderezó debajo de la manta—. ¡Tenemos que ir! En las fiestas universitarias hay chicos universitarios. ¿A que sería divertido, Bianca?

Suspiré.

—No, no mucho.

—Ay, venga. —Casey me apretó el brazo—. Nada de bailar esta vez, ¿vale? Y, como está claro que los odias, Jess y yo nos comprometemos a mantener a todos los tíos buenos apartados de ti.

Me sonrió con complicidad, intentando que recobrara el buen humor.

—No odio a los tíos buenos —le aseguré—. Solo a uno en particular. —Después de un momento, suspiré y tomé la autopista en dirección al límite del condado—. Vale, vamos. Pero después tenéis que comprarme un helado. De dos bolas.

—Trato hecho.

2

No hay nada más relajante que la calma de un sábado por la noche... o, más bien, un domingo de madrugada. Los ronquidos apagados de papá retumbaban por el pasillo, pero el resto de la casa estaba en silencio cuando entré sigilosamente pasada la una. Aunque también podía ser que la estridente música de la fiesta en Oak Hill me hubiera dejado sorda. Sinceramente, la idea de haber sufrido un daño permanente en los oídos no me preocupaba demasiado. Si así no tenía que volver a escuchar tecno en mi vida, habría valido la pena.

Cerré la puerta de la calle con llave y atravesé la oscura y vacía sala de estar. Vi la postal sobre la mesa de centro. Mamá la había enviado desde la ciudad en la que estaba ahora, fuera cual fuese, pero no me molesté en leerla. Seguiría allí por la mañana. Además, estaba tan hecha polvo que me arrastré por la escalera hasta mi cuarto.

Colgué el abrigo del respaldo de la silla, conteniendo un bostezo, y me acerqué a la cama. La migraña empezó a aliviarse mientras lanzaba las zapatillas Converse al otro lado de la habitación. Estaba agotada, pero no pude reprimir mi trastorno obsesivo compulsivo. No podría dormir hasta que doblara la pila de ropa limpia que había en el suelo, al pie de la cama.

Fui cogiendo con cuidado cada una de las prendas y

doblándolas con absoluta precisión. Luego amontoné las camisetas, los vaqueros y la ropa interior en grupos diferentes en el suelo. De alguna forma, el proceso de doblar la ropa arrugada me resultaba reconfortante. Mientras formaba montañas perfectas, la mente se me despejaba, el cuerpo se me relajaba y el mal humor por culpa de aquella noche de música ruidosa y cretinos ricos y salidos se disipaba. Renacía mientras acariciaba las prendas. Una vez doblada toda la ropa, me levanté y dejé las pilas en el suelo. Me saqué el jersey y los tejanos, que apestaban a causa de la aglomeración de gente, y los metí en el cesto que había en un rincón. Ya me ducharía por la mañana. Estaba demasiado cansada para eso ahora.

Antes de meterme bajo las sábanas, me eché un vistazo en el espejo de cuerpo entero. Observé mi reflejo con nuevos ojos, con una nueva perspectiva. Pelo caoba ondulado e incontrolable, nariz larga, muslos gruesos y tetas pequeñas. Sí, una Duff en toda regla. ¿Cómo no me había dado cuenta antes?

Quiero decir que nunca me había considerado especialmente atractiva, y era evidente que Casey y Jessica (ambas delgadas y rubias) eran preciosas, pero aun así... Nunca se me había ocurrido que mi papel fuera el de la chica fea que acompaña al dúo de bellezas. Pero ahora me había quedado claro, gracias a Wesley Rush.

A veces es mejor permanecer en la ignorancia.

Me cubrí con la manta hasta la barbilla, ocultando mi cuerpo desnudo del escrutinio del espejo. Wesley era la prueba viviente de que la auténtica belleza estaba en el interior, así que ¿por qué me molestaba lo que había dicho? Era lista y una buena persona. ¿Qué más daba que fuera la Duff? Además, si fuera guapa, tendría que aguantar que tíos como Wesley intentaran ligar conmigo. ¡Qué asco! En el fondo, ser la Duff tenía sus ventajas, ¿no? Carecer de atractivo no tenía por qué ser algo malo.

¡Maldito Wesley Rush! No podía creer que hubiera hecho que me preocupara por una gilipollez tan inútil y superficial.

Cerré los ojos. No volvería a pensar en ello por la mañana. No volvería a pensar nunca más en las Duff.

El domingo fue fantástico: un día agradable, tranquilo y sin ningún tipo de contratiempo. Claro que las cosas solían estar bastante tranquilas cuando mamá estaba de viaje. Cuando estaba por aquí, la casa era ruidosa. Siempre había música, risas o un ambiente animado y caótico. Pero nunca se quedaba más de un par de meses y, cuando desaparecía, todo quedaba en calma. Como a mí, a papá tampoco le iba mucho hacer vida social. Por lo general, estaba enfrascado en el trabajo o viendo la tele; lo que significaba que casi siempre había silencio en la casa de los Piper.

Y un domingo por la mañana, después de haberme visto obligada a soportar el alboroto de las discotecas y las fiestas, una casa tranquila era mi definición de la perfección.

Pero el lunes fue un asco.

Todos los lunes eran un asco, por supuesto, pero ese lunes en particular fue una auténtica pesadilla. Todo empezó a primera hora, cuando Jessica entró en clase de Francés alicaída, con lágrimas en las mejillas y el rímel corrido.

—¿Qué tienes, Jessica? —le pregunté—. ¿Ha pasado algo? ¿Estás bien?

Lo admito: siempre me saltaban todas las alarmas en las escasas ocasiones en las que Jessica llegaba a clase sin una sonrisa en la cara. Siempre estaba dando saltitos y riéndose; así que cuando entró con una pinta tan abatida, me acojoné.

Jessica negó con la cabeza con aire triste y se dejó caer en su asiento.

–Todo va bien, es que... ¡no puedo ir al baile! –De sus grandes ojos color chocolate brotó otro mar de lágrimas–. ¡Mamá no me deja ir!

¿Eso era todo? ¿Me había dado un susto de muerte por un baile?

–¿Y eso por qué? –pregunté, intentando mostrarme comprensiva.

–Estoy castigada –contestó sorbiéndose las lágrimas–. Esta mañana ha visto mi boletín de notas en mi cuarto y le ha dado un ataque al descubrir que he suspendido Química. ¡No es justo! La fiesta en honor al equipo de baloncesto es mi baile favorito del curso... después del de graduación, el de Sadie Hawkins y el del equipo de fútbol.

Bajé el mentón y le dirigí una mirada burlona.

–Vaya, ¿cuántos bailes favoritos tienes?

Mi amiga no me respondió ni se rió.

–Lo siento, Jessica. Ya sé que debe de ser un palo para ti... pero yo tampoco voy a ir.

No mencioné que los bailes de instituto me parecían una práctica degradante y que no eran más que un enorme desperdicio de tiempo y dinero. Jessica ya sabía lo que opinaba del asunto, y no me pareció que recordárselo ayudase en ese caso. Pero me alegraba saber que no sería la única que se lo perdería.

–¿Qué te parece si voy a tu casa y nos pasamos toda la noche viendo pelis? ¿Tu madre nos dejaría?

Jessica asintió con la cabeza y se limpió los ojos con el puño de la manga.

–Sí –contestó–. Le caes bien. Piensa que eres una buena influencia para mí. No pondrá pegas. Gracias, Bianca. ¿Podemos volver a ver *Expiación* o ya estás harta?

Pues sí, estaba hartándome de los romances sentimentaloides que a Jessica le encantaban, pero podía soportarlo. Le dediqué una amplia sonrisa.

–Nunca me canso de James McAvoy. Hasta podemos ver *La joven Jane Austen*, si quieres. Será una sesión doble.

Mi amiga se rió (por fin), a la vez que la profesora se dirigía hacia la pizarra y se ponía a ordenar los lápices sobre la mesa de manera obsesiva antes de pasar lista. Jessica le echó un vistazo a la canija maestra. Cuando se volvió de nuevo hacia mí, vi el brillo de nuevas lágrimas en sus ojos.

–¿Sabes qué es lo peor, Bianca? –me susurró–. Iba a pedirle a Harrison que fuera conmigo. Ahora tendré que esperar hasta la graduación para invitarlo a un baile.

Como estaba sensible, decidí no recordarle que a Harrison no le interesaría la invitación porque Jessica tenía tetas... y bastante grandes, así que contesté:

–Ya, lo sé. Lo siento.

Una vez superada aquella pequeña crisis, Francés transcurrió sin incidentes. Las lágrimas de Jessica se secaron y, cuando sonó el timbre, no paraba de reírse mientras nuestra amiga Angela nos hablaba de su nuevo novio. Durante esa clase, me había enterado de que había sacado un sobresaliente en el último *test de vocabulaire* y, además, había entendido cómo conjugar verbos en presente de subjuntivo. Por todo eso, estaba de bastante buen humor cuando Jessica, Angela y yo salimos del aula.

–Y trabaja en el campus –parloteaba Angela mientras nos abríamos paso por el pasillo abarrotado.

–¿Dónde estudia? –le pregunté.

–En el Oak Hill Community College. –Pareció darle un poco de vergüenza, y añadió a toda prisa–: Pero simplemente quiere diplomarse allí y después terminar los estudios en otra universidad. Además, Oak Hill no es un mal sitio ni nada por el estilo.

–Yo voy a ir allí –apuntó Jessica–. No quiero alejarme demasiado de casa.

Jessica y yo éramos tan diferentes que a veces resultaba divertido. Podías adivinar lo que una de nosotras iba a hacer eligiendo lo contrario de lo que había hecho la otra. Yo, personalmente, estaba deseando largarme de Hamilton. En cuanto pasara la graduación, me iría a la universidad en Nueva York.

Sin embargo, la idea de estar tan lejos de Jessica, de no verla brincando a mi lado todos los días ni oírla hablar sin parar de bailes y chicos gays, me aterró de pronto. No estaba segura de cómo me las apañaría. Casey y ella me mantenían centrada. No estaba segura de poder encontrar a nadie más dispuesto a aguantar mi cinismo cuando me marchara del pueblo.

–Deberíamos ir a Química, Jess –comentó Angela mientras se apartaba el largo flequillo negro de los ojos–. Ya sabes cómo se pone el señor Rollins cuando llegamos tarde.

Se marcharon a toda prisa hacia el departamento de Ciencias y yo bajé por el pasillo en dirección a clase de Política de nivel avanzado. Mis pensamientos volaron lejos, hasta un futuro sin mis mejores amigas para mantenerme cuerda. Nunca me lo había planteado y, ahora que lo pensaba, me ponía nerviosa. Sabía que me tomarían el pelo, pero tenía que encontrar la forma de mantenernos en contacto permanente.

Supongo que mis ojos perdieron contacto con mi cerebro, porque cuando quise darme cuenta me estrellé contra Wesley Rush.

Ahí se acabó mi buen humor.

Retrocedí tambaleándome y los libros se me escaparon de los brazos y cayeron al suelo. Wesley me agarró de los hombros, sosteniéndome con sus grandes manos antes de que tropezara y me diera de bruces contra el suelo.

—¡Eh! —exclamó mientras me ayudaba a recuperar el equilibrio.

Estábamos demasiado pegados. Sentí como si me corrieran bichos por debajo de la piel, que se extendían desde donde me tocaban sus manos. Me estremecí de asco, pero él lo malinterpretó.

—Vaya, vaya, Duffy —dijo mientras me observaba con una sonrisa arrogante. Era muy alto. La otra noche, sentada a su lado en el Nest, lo había olvidado. Era de los pocos chicos del instituto más altos que Casey: alrededor de uno noventa. A mí me sacaba treinta centímetros—. ¿Te tiemblan las rodillas al verme?

—Ja, ja. Qué más quisieras.

Me retorcí para soltarme, plenamente consciente de que había sonado bastante infantil, pero me importaba un comino. Me agaché para recoger los libros y, para mi inmenso disgusto, Wesley se puso a ayudarme.

Solo lo hacía para dárselas de bueno, por supuesto. Seguro que estaba deseando que alguna animadora sexy, como Casey, pasara por allí y pensara que era todo un caballero. Menudo cerdo. Siempre pensando en ligar.

—Francés, ¿eh? —comentó echándole un vistazo a los folios desparramados mientras los recogía—. ¿Sabes decir algo interesante?

—*Le ton de ta voix me donne envie de m'étrangler.*

Me puse en pie y esperé a que me entregara los papeles.

—Suena sexy —respondió mientras se levantaba y me pasaba la pila de apuntes de Francés que había reunido—. ¿Qué significa?

—El tono de tu voz me da ganas de estrangularme.

—Qué pervertidilla.

Le arranqué los papeles de las manos sin decir otra palabra, los metí en uno de los libros y me marché en dirección a mi próxima clase dando unos buenos pisotones. Necesitaba poner toda la distancia posible entre aquel cabrón mujeriego y yo. ¿Duffy? ¿En serio? ¡Sabía perfectamente cómo me llamaba! Ese cretino egoísta no me dejaba en paz. Por no mencionar que todavía me hormigueaba la piel donde me había tocado.

La clase de Política de nivel avanzado del señor Chaucer solo contaba con nueve alumnos, y siete de ellos ya habían entrado cuando crucé la puerta. El señor Chaucer me fulminó con la mirada, como recalcándome que el timbre sonaría en cualquier momento. Para él, llegar tarde era un delito grave, y casi llegar tarde constituía un delito leve. Aunque, por suerte, no fui la última en presentarse. Eso ayudó un poco.

Ocupé mi sitio al fondo del aula y abrí la libreta rogando que el profesor no me reprochara mi retraso. Teniendo en cuenta que ahora mismo estaba de mala leche, tal vez me diera por insultarlo. Pero no dijo nada y los dos nos ahorramos el mal trago.

El último alumno entró justo cuando sonó el timbre.

–Lo siento, señor Chaucer. Estaba pegando carteles para anunciar la ceremonia de inauguración de la semana que viene. Espero que no haya empezado todavía.

El corazón se me aceleró cuando levanté la cabeza y observé al chico que acababa de entrar.

Vale, no me corto a la hora de decir que no soporto a los adolescentes que se echan novio o novia en el instituto y no paran de hablar de lo «enamorados» que están. Admito sin tapujos que odio a las chicas que aseguran estar enamoradas de alguien con quien ni siquiera han salido. No oculto el hecho de que, en mi opinión, hacen falta años (cinco o diez, por lo menos) para que surja el amor, y que las relaciones de instituto me parecen completamente inútiles. Todo el mundo sabía lo que opinaba... pero nadie estaba enterado de que estaba siendo un tanto hipócrita.

Bueno, vale, Casey y Jessica sí lo sabían, pero ellas no contaban.

Toby Tucker. Salvo su nombre horrible, era la perfección personificada. No era un jugador de fútbol americano lleno de testosterona ni un hippy sensiblero al que le gustaba tocar la guitarra. No escribía poesía ni se maquillaba los ojos. Así que probablemente nadie lo clasificaría como el típico tío bueno, pero mejor para mí, ¿no? Los juerguistas, los músicos y los *emos* nunca se fijarían en (como Wesley lo habría expresado con tanta delicadeza) una Duff. Era probable que tuviera más posibilidades con un tío inteligente, con inquietudes políticas y escasas habilidades sociales como Toby, ¿verdad?

Pues iba a ser que no.

Toby Tucker y yo estábamos hechos el uno para el otro. Pero, por desgracia, él no se había dado cuenta. Eso se debía principalmente a que cada vez que lo tenía cerca me veía incapaz de formular frases coherentes. Seguramente pensara que era muda o algo así. Nunca me miraba ni me dirigía la palabra ni parecía darse cuenta siquiera de que estaba allí sentada en el fondo de la clase. Para tener un culo tan gordo, me sentía casi invisible.

Pero yo sí me había fijado en Toby. Me había fijado en el corte de su pelo rubio (que estaba anticuado pero era muy mono) y en su piel paliducha. Me había fijado en sus ojos verdes tras los cristales ovalados de las gafas. Me había fijado en que siempre llevaba *blazer* y en la adorable manía que tenía de morderse el labio inferior cuando estaba concentrado en algo. Estaba... vale, enamorada no, pero sí pillada de él. Estaba completamente pillada de Toby Tucker.

–Está bien –refunfuñó el señor Chaucer–. Pero vigile la hora mañana, señor Tucker.

–Por supuesto, señor.

Toby se sentó en la primera fila, junto a Jeanine McPhee. Como si fuera una acosadora, me puse a escuchar su conversación mientras el señor Chaucer empezaba a escribir los apuntes de clase en la pizarra. Normalmente no me comporto así, pero la gente comete locuras cuando está ena... pillada de alguien. Al menos, esa suele ser la excusa.

–¿Qué tal el fin de semana, Toby? –comentó Jeanine, que siempre tenía la nariz taponada–. ¿Hiciste algo interesante?

—Estuvo bastante bien —contestó Toby—. Mi padre nos llevó a Nina y a mí fuera del Estado. Fuimos a visitar la Universidad del Sur de Illinois. Fue divertido.

—¿Nina es tu hermana? —preguntó Jeanine.

—No, es mi novia. Va al instituto de Oak Hill. ¿No te había hablado de ella? En fin, nos admitieron a los dos allí, así que fuimos a echarle un vistazo. Estoy mirando un par de universidades más, pero llevamos juntos un año y medio y queremos ir a la misma universidad para no tener que separarnos.

—¡Qué tierno! —exclamó Jeanine—. Yo estoy planteándome cursar algunas asignaturas en el OHCC antes de decidirme por una universidad.

La piel había dejado de hormiguearme, pero ahora tenía el estómago revuelto. Me sentía como si estuviera a punto de vomitar y tuve que contener el impulso de salir corriendo de la clase tapándome la boca con la mano. Al final, gané la batalla por retener el desayuno, pero todavía me sentía fatal.

¿Toby tenía novia? ¿Desde hacía un año y medio? ¡Madre mía! ¿Cómo es que no me había enterado? ¿E iban a ir a la universidad juntos? ¿Eso quería decir que era uno de esos románticos idiotas y sensibleros de los que siempre me burlaba? Había esperado mucho más de Toby Tucker. Había esperado que fuera igual de escéptico que yo respecto al amor adolescente. Había esperado que considerara la universidad una decisión de suma importancia, no como algo que dependiera de dónde admitieran a tu pareja. Había esperado que fuera... bueno, ¡listo!

«De todas formas, nunca saldría contigo», me susurró

una voz dentro de mi cabeza. Tenía un parecido asombroso con el molesto murmullo de Wesley Rush. «Eres la Duff, ¿recuerdas? Es probable que su novia esté más delgada y tenga las tetas más grandes.»

Todavía no era la hora de comer y ya tenía ganas de tirarme de un precipicio. Vale, bueno, eso era exagerar. Pero sí que quería irme a casa y meterme en la cama. Quería olvidar que Toby tenía una novia formal. Quería eliminar la sensación de las manos de Wesley sobre mi cuerpo. Pero, sobre todo, quería borrar la palabra «Duff» de mi mente.

Ah, por cierto, las cosas empeoraron ese día.

A eso de las seis de la tarde, el tipo de las noticias empezó a hablar de una enorme tormenta de nieve que haría acto de presencia de madrugada. Supongo que, como por el momento no había nevado ni un solo día, el consejo escolar se apiadó de nosotros, porque decidió cancelar las clases antes siquiera de que llegara la tormenta. Así que Casey me llamó a las siete y media e insistió en que fuéramos al Nest, puesto que no teníamos que madrugar al día siguiente.

—No sé, Casey —dije—. ¿Y si las carreteras están mal?

Lo admito. Estaba buscando cualquier excusa para no ir. El día ya había sido lo bastante asqueroso. No estaba segura de poder soportar también la tortura de aquel antro.

—Vamos, B. Se supone que la tormenta no empieza hasta eso de las tres de la madrugada. Mientras volvamos a casa antes de esa hora, todo irá bien.

—Tengo un montón de deberes.

—No hay que entregarlos hasta el miércoles. Mañana puedes dedicarles todo el día si quieres.

Suspiré.

–¿Jessica y tú podéis encontrar a otra persona que os lleve? Es que no me apetece. Ha sido un mal día, Casey.

Esta siempre reaccionaba ante el menor indicio de problemas.

–¿Qué ha pasado? –me preguntó–. ¿Estás bien? Parecías triste a la hora de comer. ¿Tiene que ver con tu madre?

–Casey...

–Cuéntame qué pasa.

–No es nada –le aseguré–. Es solo que hoy ha sido una mierda de día, ¿vale? No es que haya pasado nada importante, solo que esta noche no estoy de humor para ir de fiesta con vosotras.

Se produjo una pausa al otro lado de la línea telefónica. Por fin, Casey dijo:

–Sabes que puedes contarme cualquier cosa, ¿verdad? Sabes que puedes hablar conmigo si lo necesitas. No te guardes las cosas. No te hace bien.

–Estoy bi...

–Estás bien –me interrumpió–. Sí, lo sé. Solo digo que, si tienes algún problema, aquí me tienes.

–Ya lo sé –murmuré.

Me sentí culpable por hacer que se preocupara por semejante estupidez. Tenía la mala costumbre de guardarme mis sentimientos, y Casey lo sabía. Siempre quería cuidar de mí. Siempre intentaba que compartiera mis emociones para que no acabara explotando después. A veces podía resultar un fastidio, pero saber que alguien se preocupaba por mí era... bueno, agradable. Así que no podía enfadarme por ello.

–Ya lo sé, Casey. Pero estoy bien, de verdad. Es solo

que... hoy me he enterado de que Toby tiene novia, y tengo un poco de bajón. Eso es todo.

–Ay, B. –suspiró mi amiga–. Qué palo. Lo siento. Tal vez si salieras esta noche, Jess y yo podríamos animarte. Hasta te compraremos un helado de dos bolas.

Dejé escapar una risita.

–Gracias, pero no. Creo que esta noche prefiero quedarme en casa.

Colgué el móvil, bajé las escaleras y encontré a papá hablando por el inalámbrico en la cocina. Lo oí antes de verlo: estaba gritándole al auricular. Me quedé en la entrada, imaginándome que se daría cuenta de que estaba allí y bajaría la voz de inmediato. Supuse que algún vendedor telefónico estaría recibiendo una buena bronca por parte de Mike Piper, pero entonces oí mi nombre.

–¡Piensa en lo que estás haciéndole a Bianca! –El fuerte tono de voz de papá, que yo había pensado que era de rabia, sonaba más bien como una súplica–. Esta no es una relación sana para una chica de diecisiete años y su madre. Te necesita aquí en casa, Gina. Los dos te necesitamos.

Regresé sigilosamente a la sala de estar, asombrada al comprender que estaba hablando con mi madre. Sinceramente, no sabía qué opinar sobre lo que había dicho papá. Me refiero a que claro que echaba de menos a mi madre, habría estado bien tenerla en casa, pero ya estábamos acostumbrados a arreglárnoslas sin ella.

Mi madre daba charlas de motivación. Cuando yo era pequeña, había escrito una especie de libro de autoayuda para mejorar la autoestima. No se había vendido demasiado bien, pero aun así recibió ofertas para hablar en colegios, grupos de apoyo y graduaciones por todo el país. Como el libro había fracasado, les salía barata.

Durante un tiempo, solo había aceptado trabajos en los alrededores. De ese modo podía volver a casa en coche tras decirle a la gente cómo quererse a uno mismo. Sin embargo, después de que mi abuela muriera, cuando yo tenía doce años, mamá sufrió una pequeña depresión. Papá le sugirió que se tomara unas vacaciones, que se alejara de todo unas semanas.

Cuando regresó, no paraba de hablar de todos los sitios que había visitado y la gente que había conocido. Supongo que eso fue lo que despertó su adicción a viajar. Porque, después de esas primeras vacaciones, mamá empezó a aceptar charlas en cualquier parte, como Colorado y New Hampshire. Hasta había organizado giras por todo el país.

Pero la gira en la que estaba ahora había sido la más larga. Llevaba casi dos meses fuera de casa, y esta vez ni siquiera me acordaba de dónde estaba dando las charlas.

Estaba claro que ese era el motivo por el que papá estaba cabreado. Porque llevaba demasiado tiempo fuera.

–Maldita sea, Gina. ¿Cuándo vas a dejar de portarte como una cría y volver a casa? ¿Cuándo vas a volver para quedarte con nosotros... definitivamente?

La forma en la que la voz de mi padre se quebró al pronunciar la última frase casi me hace llorar.

–Gina –murmuró–. Gina, te queremos. Bianca y yo te echamos de menos y queremos que vuelvas a casa.

Me pegué a la pared que me separaba de mi padre mientras me mordía el labio. Dios, esto era cada vez más patético. ¿Por qué no se divorciaban de una vez? ¿Yo era la única que se daba cuenta de que eso no estaba funcionando? ¿Qué sentido tenía que siguieran casados si mamá nunca estaba en casa?

–Gina –repitió mi padre, y me pareció que estaba a punto de ponerse a llorar.

Entonces oí cómo dejaba el teléfono sobre la encimera. La conversación había terminado.

Le concedí un par de minutos antes de entrar en la cocina.

–Hola, papá. ¿Pasa algo?

–No –contestó. Dios, se le daba fatal mentir–. Todo va bien, abejita. Acabo de hablar con tu madre y... te envía besos.

–¿Desde dónde esta vez?

–Pues... desde el Condado de Orange –dijo–. Se hospeda en casa de tu tía Leah mientras da charlas en un instituto de allí. Qué guay, ¿eh? Ahora puedes decirles a tus amigas que tu madre está en O.C. Te gusta esa serie, ¿no?

–Sí –respondí–. Me gustaba... pero la cancelaron hace un par de años.

–Ah, vaya... Supongo que no estoy al día. –Vi cómo dirigía la mirada hacia la encimera, donde había dejado las llaves del coche, y seguí el rumbo de sus ojos. Papá se dio cuenta y apartó la vista rápidamente, antes de que yo pudiera decir nada–. ¿Tienes planes para esta noche?

–Bueno, podría organizar algo, pero... –Carraspeé, insegura de cómo formular la siguiente frase. Papá y yo no solíamos hablar de nuestras cosas–. También podría quedarme en casa. ¿Quieres que me quede y vemos la tele un rato?

–No, no, abejita –repuso con una carcajada poco convincente–. Sal a divertirte con tus amigas. De todas formas, es probable que esta noche me acueste temprano.

Lo miré a los ojos, esperando que cambiara de opinión. Siempre se deprimía un montón después de pelearse con mamá. Estaba preocupada por él, pero no sabía cómo abordar el asunto.

Además, en el fondo de mi mente, sentía un ligero temor. En realidad era una estupidez, pero no podía sacármelo de la cabeza. Mi padre era un alcohólico rehabilitado. Lo había dejado antes de que yo naciera y no había vuelto a probar ni una gota desde entonces; pero a veces, cuando se enfadaba con mamá, me entraba miedo. Miedo de que cogiera las llaves del coche y fuera a la licorería o algo por el estilo. Era una tontería, pero no podía librarme de esa inquietud.

Papá rompió el contacto visual y cambió de pie el peso del cuerpo con aire incómodo. Se volvió, se dirigió al fregadero y se puso a lavar el plato en el que había comido espaguetis. Quise acercarme, coger el plato (aquella patética excusa que estaba usando para distraerse) y lanzarlo al suelo. Quise decirle lo estúpida que era esa situación con mamá. Quise que comprendiera que esas tontas depresiones y peleas no eran más que una pérdida de tiempo y que admitiera que las cosas no iban bien.

Pero no pude, por supuesto. Lo único que logré decir fue:

−Papá...

Se volvió hacia mí y negó con la cabeza sosteniendo una bayeta húmeda en las manos.

−Sal y pásatelo bien −dijo−. Quiero que te diviertas. Solo se es joven una vez.

El tono de su voz no admitía discusión. Era su manera sutil de decirme que quería estar solo.

–Vale –cedí–. Si estás seguro... llamaré a Casey.

Subí a mi habitación, cogí el móvil de la cómoda y marqué el número de Casey. Me contestó al segundo tono.

–Hola, Casey. He cambiado de opinión sobre lo del Nest. Y, esto... ¿crees que podría quedarme a dormir ahí? Ya te lo contaré luego, pero no... no quiero estar en casa.

Antes de marcharme, volví a doblar la ropa limpia que había en el suelo al pie de la cama, pero no me ayudó tanto como solía hacerlo.

3

–Ponme otra, Joe –pedí mientras deslizaba el vaso vacío
hacia el camarero, que lo atrapó sin problemas.

–No pienso servirte más, Bianca.

–Solo es refresco de cereza –repuse poniendo los ojos
en blanco.

–Pero puede ser igual de peligroso que el whisky.
–Joe dejó el vaso en una encimera situada detrás de la
barra–. Se acabó. Ya me lo agradecerás. La cafeína provoca unos dolores de cabeza espantosos, y ya sé cómo
sois las chicas. Si engordas dos kilos, después me echa-
rás a mí la culpa.

–Si tú lo dices...

¿Qué más daba si engordaba? Ya era la Duff, y el único
chico al que quería impresionar tenía novia formal. Ya
puestos, como si engordaba treinta kilos.

–Lo siento, Bianca.

Joe se fue al otro extremo de la barra, donde Angela y
su mejor amiga, Vikki, esperaban para pedir.

Tamborileé con los dedos sobre la superficie de madera
de la barra, con la mente muy lejos de la música y las luces
estroboscópicas. ¿Por qué no había insistido en quedarme
en casa con papá? ¿Por qué no lo había convencido para
que hablara conmigo? No dejaba de imaginármelo sumido en su tristeza... completamente solo.

Pero así era como los Piper sobrellevábamos los problemas: solos.

¿Por qué tenía que ser así? ¿Por qué no podíamos abrirnos? ¿Por qué papá no podía admitir que mamá y él tenían problemas? ¿Por qué no me atrevía a plantearle abiertamente el tema?

–Hola, Duffy.

¿Por qué tenía que sentarse a mi lado el muy cretino?

–Lárgate, Wesley –gruñí con la mirada clavada en el movimiento de mis dedos.

–No puedo –contestó–. No soy de los que se rinden fácilmente, ¿sabes? Estoy decidido a liarme con una de tus amigas... preferiblemente la que tiene unos buenos melones.

–Pues ve a hablar con ella –le sugerí.

–Lo haría, pero Wesley Rush no persigue a las chicas. Ellas lo persiguen a él. –Me sonrió–. Pero no pasa nada. Dentro de poco la tendré aquí rogándome que me acueste con ella. Y hablar contigo acelerará el proceso. Hasta entonces, podrás disfrutar del honor de mi compañía. Además, por suerte para mí, parece que esta noche no vas armada con una bebida.

Soltó una carcajada, pero se detuvo de pronto. Noté que me observaba, pero no levanté la vista.

–¿Estás bien? No pareces tan agresiva como de costumbre.

–Déjame en paz, Wesley. Lo digo en serio.

–¿Qué pasa?

–Largo.

La angustia que sentía en mi interior necesitaba escapar, liberarse de alguna forma. No podía esperar a llegar a casa de Casey para estallar. Necesitaba soltarla en ese preciso instante. Pero no quería llorar delante de medio instituto, y por supuesto no iba a hablar de ello con Joe ni con el capullo sentado a mi lado. Y si pegaba a alguien me metería en un lío. No veía más opciones, pero sentía que iba a explotar si no me desahogaba pronto.

Mamá estaba en California, papá se estaba derrumbando y yo era demasiado cobarde para mover un jodido dedo.

–Algo te preocupa –insistió Wesley–. Parece que estás a punto de ponerte a llorar. –Me colocó una mano en el hombro y me obligó a volverme hacia él–. ¿Bianca?

Y entonces cometí un auténtico disparate. Mi única excusa es que estaba bajo muchísima tensión y vi una válvula de escape. Necesitaba algo que me distrajera, que me hiciera olvidar el drama de mis padres aunque solo fuera un segundo. Y, cuando vi la ocasión, no me detuve a pensar cuánto me arrepentiría después. Había una oportunidad esperándome en el taburete de al lado, y me eché encima. Literalmente.

Besé a Wesley Rush.

Wesley tenía la mano apoyada en mi hombro y, por una vez, sus ojos grises me miraban a la cara, y un segundo después mi boca cubría la suya. En mis labios había una furia nacida de las emociones reprimidas, y Wesley pareció ponerse tenso, paralizado por la sorpresa. Pero su inmovilidad no duró mucho. Un instante después, respondió a la agresión: me agarró de los costados y tiró hacia él. Era como si nuestras bocas estuvieran enzarzadas en una batalla. Hundí las manos en su pelo rizado, tirando más fuerte de lo necesario, y él me clavó los dedos en la cintura.

Funcionó mejor que si le hubiera pegado a alguien. No solo me ayudó a aliviar la angustiosa presión, sino que me distrajo por completo. A fin de cuentas, es complicado pensar en tu padre cuando te estás dando el lote con alguien. Además, por muy perturbador que suene, Wesley besaba muy bien. Se inclinó hacia mí y tiré tan fuerte de él que casi se cae del taburete. En aquel momento no podíamos acercarnos lo suficiente. Nuestros asientos separados parecían estar a kilómetros de distancia.

Todos mis pensamientos se esfumaron y me convertí en una especie de ser físico. Las emociones desaparecieron. No existía nada salvo nuestros cuerpos, y nuestros labios en guerra estaban en el centro de todo. ¡Era una gozada! Era asombroso no pensar. ¡En nada! Hasta que Wesley lo fastidió.

Su mano se apartó de mi cintura y fue subiendo por mi torso hasta detenerse justo sobre una de mis tetas. Todo volvió de golpe, y recordé de pronto a quién estaba besando. Le solté el pelo y lo empujé con todas mis fuerzas. Me invadió la ira, una ira nueva y ardiente que reemplazó por completo la ansiedad que había sentido un minuto antes.

Wesley bajó las manos (una de las cuales se posó en mi rodilla) mientras se apartaba. Parecía sorprendido, pero claramente satisfecho.

—Caramba, Duffy, eso ha sido...

Lo abofeteé. Le di tan fuerte que me dolió la palma de la mano.

Wesley se llevó a la mejilla la mano que tenía apoyada en mi rodilla.

—Pero ¿qué diablos...? —soltó—. ¿Por qué has hecho eso?

—¡Capullo! —grité.

Me bajé del taburete y entré en la pista de baile hecha una furia. No quería admitirlo, pero estaba más cabreada conmigo misma que con él.

4

La enorme cama de Casey estaba maravillosamente calentita. Las almohadas eran suaves y me daban ganas de hundirme en el blando colchón y quedarme a vivir allí para siempre.

Pero no podía dormir. Me retorcí y di vueltas en mi lado de la cama, intentando no despertar a Casey. Conté ovejas, hice esa cosa de relajar cada parte del cuerpo subiendo desde los dedos gordos de los pies y hasta me imaginé una de las farragosas clases del señor Chaucer sobre políticas públicas.

Pero seguía sin poder pegar ojo.

Estaba guardándome las cosas de nuevo, y esta vez no tenía nada que ver con mi padre. Ya había desahogado mis inquietudes sobre ese tema después de que dejáramos a Jessica en su casa horas antes.

—Me preocupa mi padre —le había dicho a Casey.

Había esperado a que Jessica saliera del coche para hablar de ello porque sabía que no lo entendería. Jessica provenía de una familia sana y feliz con dos padres enamorados. Casey, en cambio, había presenciado cómo se desmoronaba la relación de sus padres.

—No se entera de nada. ¿Acaso no es evidente que no está funcionando? ¿No deberían divorciarse y acabar con esto de una dichosa vez?

–No digas eso, B. –me advirtió–. En serio, ni lo pienses siquiera.

Me encogí de hombros a modo de respuesta.

–Todo se solucionará –me aseguró apretándome la mano mientras nos dirigíamos a su casa. Todavía no había empezado a nevar, pero las nubes iban ocultando las estrellas en el cielo oscuro–. Tu madre volverá a casa, lo hablarán, echarán un polvo de reconciliación...

–¡Por Dios! ¡Qué asco, Casey!

–... y todo volverá a la normalidad. –Hizo una pausa mientras yo aparcaba en la entrada de su casa–. Pero, mientras tanto, aquí me tienes. Si necesitas hablar, sabes que te escucharé.

–Sí, lo sé.

Era el mismo discurso motivador que llevaba oyendo doce años, cada vez que surgía el menor problema en mi vida; aunque tampoco lo necesitara esa noche. Para ser sincera, no había pensado mucho en papá desde que habíamos salido del Nest. Había liberado toda esa tensión al besar a Wesley.

Y eso era lo que me impedía dormir. No podía dejar de pensar en lo que había hecho en el Nest. La piel me hormigueaba. Era como si mis labios fueran los de otra persona. Además, por mucho que me lavé los dientes en el baño de Casey (después de media hora, mi amiga había llamado a la puerta para asegurarse de que estaba bien), seguían notando en la boca el sabor de ese asqueroso cabrón mujeriego. ¡Puaj! Pero lo peor era que sabía que yo era la responsable.

Yo lo había besado. Sí, me había metido mano, pero ¿qué me esperaba? No es que Wesley Rush tuviera fama de caballero. Puede que se hubiera portado como un cretino, pero esa situación era culpa mía. Y aquella idea no me gustaba.

—Casey —susurré. Vale, puede que despertarla a las tres de la madrugada no fuera muy considerado por mi parte, pero ella era la que siempre estaba diciéndome que tenía que compartir, desahogarme o lo que fuera. Así que, técnicamente, se lo había buscado—. Eh, Casey.

—¿Hum...?

—¿Estás despierta?

—Hum...

—Si te cuento algo, ¿me juras que no se lo dirás a nadie? —le pregunté—. ¿Y me prometes no flipar?

—Por supuesto, B. —farfulló—. ¿De qué se trata?

—He besado a alguien esta noche —anuncié.

—Bien hecho. Ahora vuelve a dormirte.

Respiré hondo.

—Ha sido a Wesley... Wesley Rush.

Casey se sentó de golpe en la cama.

—¡Dios mío! —Negó con la cabeza y se restregó los grandes ojos—. Vale, ya estoy despierta.

Se volvió hacia mí, con el corto pelo rubio completamente alborotado. Por Dios, ¿cómo se las arreglaba para que incluso eso le sentara bien?

—¡Madre mía! ¿Qué ha pasado? Pensaba que lo odiabas.

—Y lo odio. Siempre lo odiaré. No ha sido más que un estúpido, inmaduro e irreflexivo momento de... estupidez. —Me senté y me abracé las rodillas—. Me siento sucia.

—Ensuciarse puede ser divertido.

—Casey...

—Lo siento, B., pero no veo dónde está el problema —ad-

44

mitió–. Está bueno, es rico y probablemente bese de maravilla. ¿Verdad? Es que con esos labios que tiene…

–¡Casey! –Me cubrí los oídos con las manos–. ¡Para ya! Mira, no me siento orgullosa de esto. Estaba disgustada, él estaba allí, y yo… Dios, no puedo creer que lo haya hecho. ¿Eso me convierte en una zorra?

–¿Besar a Wesley? Lo dudo mucho.

–¿Y ahora qué hago?

–¿Volver a besarlo?

Le lancé una mirada asesina antes de dejarme caer de nuevo sobre la almohada. Me coloqué de costado dándole la espalda.

–Olvídalo –dije–. No debería habértelo contado.

–Vamos, B., no te pongas así. Lo siento, pero creo que deberías ver el lado bueno por una vez en tu vida. No has tenido ningún novio desde… –Se quedó callada. Después de todo, las dos sabíamos a quién se refería–. En fin, que ya era hora de que tuvieras un poco de acción. El único tío con el que hablas es Joe, y es demasiado viejo para ti. Y ahora que sabemos que Toby no está disponible, ¿qué problema hay en que salgas con Wesley? ¿Va a matarte intentarlo?

–No estoy saliendo con él –solté entre dientes–. Wesley Rush no sale con chicas, se las tira. A cualquiera, ya que estamos. Solo lo he besado, y ha sido una estupidez. Una estupidez monumental. Un error tremendo.

Casey volvió a acomodarse en su lado del colchón.

–¿Sabes una cosa? Estaba segura de que ni siquiera tú podrías resistirte a sus encantos eternamente.

–¿Cómo dices? –repuse mientras me tumbaba de espaldas para fulminarla con la mirada–. Para tu información, no tengo problemas para resistirme. ¿Y sabes qué? En realidad, no hay nada a lo que resistirse. Me resulta repulsivo. Lo de esta noche no ha sido más que un lapsus de cordura que nunca volverá a ocurrir.

–Nunca digas nunca, B.

Casey se puso a roncar en cuestión de segundos.

Yo, por mi parte, seguí lanzándome reproches unos minutos y luego me quedé dormida, maldiciendo a Casey y a Wesley para mis adentros. Curiosamente, me resultó reconfortante.

Papá acababa de volver del trabajo en Tech Plus, una pequeña tienda de electrónica de la zona, cuando entré por la puerta a la tarde siguiente sacudiéndome la nieve del pelo. La tormenta no había sido tan fuerte como había predicho el hombre del tiempo, pero seguía nevando. No obstante, brillaba el sol, así que la capa de nieve se habría derretido antes de que anocheciera. Me saqué la chaqueta y le eché un vistazo a papá, que estaba en el sofá hojeando el *Hamilton Journal* con una taza de café caliente en la mano izquierda.

Levantó la mirada cuando me oyó entrar.

–Hola, abejita –me saludó mientras dejaba la taza sobre la mesa de centro–. ¿Te lo pasaste bien con Casey y Jessica?

–Sí –contesté–. ¿Qué tal el trabajo?

–Liado –dijo con un suspiro–. ¿Sabes a cuánta gente de este pueblo le regalaron un portátil en Navidad? Seguro que ni te lo imaginas, así que déjame decirte que a un montón. ¿Y sabes cuántos de esos portátiles eran defectuosos?

–¿Un montón? –sugerí.

—Bingo. —Papá negó con la cabeza mientras doblaba el periódico—. Si no tienes suficiente dinero para comprarte un buen portátil, ¿por qué molestarse? Ahórralo y cómprate uno mejor más adelante. De lo contrario, acabarás gastándote la diferencia en reparaciones. Recuerda eso, abejita. Si te enseño algo en la vida, que sea eso.

—Entendido, papá.

De pronto, me sentí como una idiota. ¿Cómo podía haberme agobiado tanto anoche? Estaba claro que había sido por nada. Me refiero a que, sí, mamá y él tenían problemas, pero era probable que todo se arreglara, como había dicho Casey. Papá no estaba deprimido, triste ni remotamente cerca de probar una gota de alcohol.

Aun así, yo sabía que ese último viaje de mamá estaba siendo duro para él, así que pensé que debería intentar ayudarlo a sobrellevar todo eso. Lo más seguro era que se sintiera un poco solo últimamente, y supongo que en parte también era culpa mía.

—¿Quieres ver la tele? —le pregunté—. No tengo muchos deberes para mañana, y puedo hacerlos después.

—Muy bien —dijo mientras cogía el mando a distancia de la mesa auxiliar—. Dan una reposición de *Perry Mason*.

Hice una mueca.

—Pues… vale.

—Estoy de broma, abejita —respondió riéndose mientras iba pasando canales—. Nunca te haría eso. Vamos a ver… Ah, mira, están poniendo un maratón de *Enredos de familia* en la tele por cable. Te encantaba esta serie cuando eras pequeña. Solíamos ver las reposiciones cuando tenías unos cuatro años.

—Me acuerdo. —Me senté en el sofá a su lado—. Te dije

que quería entrar en las Juventudes Republicanas porque Michael J. Fox me parecía guapo.

Papá resopló y se colocó bien las gafas de montura gruesa.

—Pero no pasó. Ahora mi abejita es una liberal.

Me rodeó los hombros con un brazo y me dio un apretón.

Yo sabía que eso era lo que necesitaba mi padre, o tal vez los dos lo necesitáramos: un ratito para estrechar lazos de modo que la casa no pareciera tan vacía. No me malinterpretéis, me encantaba la tranquilidad, pero demasiado silencio puede acabar desquiciándote después de un tiempo.

—¿Te apetece ver unos cuantos capítulos?

—Claro —contesté con una sonrisa.

A la mitad del primer episodio, tuve una extraña revelación. Así que cuando era niña estaba coladita por Alex P. Keaton (el personaje superrepublicano de Michael J. Fox en *Enredos de familia*), pero doce años después estaba pillada de Toby Tucker, un miembro de las Juventudes Demócratas. ¿Es que me iban los políticos o qué? Tal vez estuviera destinada a ser la mujer de un senador... o hasta podría terminar siendo la Primera Dama.

¡Qué va! Los políticos no se casan con las Duff. No quedan bien apoyándolos en los debates. Y, de todas formas, yo no era de las que se casaban. Tenía más posibilidades de convertirme en la Monica Lewinsky del futuro. Aunque yo me aseguraría de quemar todos los... esto... vestidos incriminatorios.

Oye, Obama era bastante sexy para ser un viejo. Tal vez tuviera una oportunidad.

Me mordí el labio mientras papá se reía de uno de los chistes de la comedia. ¿Cómo era posible que hasta *Enredos de familia* me trajera a la mente aquella palabra?

Duff.

Dios, Wesley y su maldito mote no me dejaban en paz. Aquella palabra se mofaba de mí incluso en mi propia casa. Me arrimé a papá intentando concentrarme en la serie. En nuestro tiempo juntos. En cualquier cosa que no fuera Wesley y esa estúpida etiqueta. Intenté olvidarme de ese dichoso beso y de que me había comportado como una idiota.

Lo intenté con todas mis fuerzas.

Y, por supuesto, fracasé miserablemente.

5

Cuando estaba en el jardín de infancia, tuve una experiencia traumática en las barras para trepar. Estaba a medio camino, con las piernas balanceándose debajo de mi cuerpecito, cuando empezaron a sudarme las manos y me resbalé. Caí durante lo que me pareció un kilómetro antes de estrellarme contra el suelo. Los otros niños de cinco años se rieron de mí y de mi rodilla raspada y ensangrentada. Todos salvo uno.

Casey Blithe salió del grupo de niños de primaria que me miraban absortos y se situó delante de mí. Incluso en aquel entonces, supe que era preciosa. Tenía el pelo rubio, los ojos color avellana y las mejillas rosadas: la perfección personificada en una niña de cinco años. Hasta podría haber participado en un concurso de belleza infantil.

–¿Te duele? –me preguntó.

–Estoy bien –contesté mientras me caían lágrimas gruesas y calientes. No estaba segura de si lloraba por el dolor de la rodilla o por la forma en la que todos mis compañeros de clase se reían de mí.

–No, no estás bien. Tienes sangre. Te ayudaré.

Me tendió una mano y me ayudó a levantarme. Luego se volvió y les gritó a los chicos que estaban burlándose de mí.

Después de aquello, básicamente se nombró mi protectora personal. No me dejaba ni a sol ni a sombra, decidida a impedir que me metiera en problemas. A partir de ese momento, fuimos amigas del alma. Claro que eso fue antes de hacerse popular y de que entrara en juego el tema de las Duff. Casey acabó convirtiéndose en una chica alta (casi 1,85... ¡era como una amazona!), delgada y guapísima. Y yo acabé... bueno, con el aspecto contrario. Viéndonos por separado, nadie pensaría que éramos amigas; nadie diría que la bella reina del baile se juntaba con la chica rellenita y de anodino pelo que estaba en el rincón.

Pero éramos amigas del alma. Siempre había podido contar con ella. Por ejemplo, no se separó de mi lado durante mi primer año de instituto, después de que me rompieran el corazón por primera vez (y, si yo podía evitarlo, también sería la última). Nunca permitió que me aislara ni que me sumiera en la tristeza. A pesar de que no habría tenido ningún problema para encontrar amigas más guapas, guays y populares, no me abandonó.

Así que cuando me pidió que la llevara a casa después del entrenamiento de las animadoras el miércoles por la tarde, acepté. En fin, después de todo lo que había hecho por mí durante los últimos doce años, lo mínimo que podía hacer era llevarla en coche de vez en cuando.

Estaba esperando en la cafetería, con la mirada clavada en las psicodélicas paredes azules y anaranjadas (la persona que eligió los colores de nuestro instituto debía de darle fuerte a las drogas), intentando terminar los deberes de cálculo. Estaba planteándome la eterna pregunta «¿dónde voy a utilizar esto en la vida real?», cuando sentí que me tocaban el hombro. Noté aquel hormigueo en la piel y supe sin la menor duda a quién tenía detrás.

Genial. De puta madre.

Me aparté de la mano de Wesley y me volví rápidamente hacia él, agarrando el lápiz como si fuera un dardo y apuntándolo a la nuez.

Wesley ni se inmutó. Sus ojos grises examinaron el lápiz fingiendo curiosidad y comentó:

—Qué interesante. ¿Así saludas a todos los chicos que te gustan?

—No me gustas.

—¿Eso quiere decir que me amas?

Detestaba la soltura y la seguridad con las que hablaba. Un montón de chicas encontraban sexy esa actitud, pero en realidad era avasallante. Me parecía de esos tíos que se aprovechan de las chicas en las citas. ¡Qué asco!

—Quiere decir que te odio —le espeté—. Y si no me dejas en paz, voy a denunciarte por acoso sexual.

—Podría ser un caso difícil —meditó Wesley. Me arrebató el lápiz y empezó a hacerlo girar entre los dedos—. Sobre todo teniendo en cuenta que fuiste tú la que me besó. Técnicamente, yo podría acusarte de acoso.

Apreté los dientes. Ni siquiera soportaba pensar en ello, y no me molesté en recordarle que él había participado con mucho gusto.

—Devuélveme el lápiz —mascullé.

—No sé yo —repuso—. Conociéndote, esto podría considerarse un arma peligrosa… junto con los vasos de refresco de cereza. Interesante elección, por cierto. Hubiera dicho que te iba otro tipo de bebida, como el Sprite. Sosa, ya sabes.

Lo fulminé con la mirada, deseando que sufriera una combustión espontánea, antes de recoger los libros y las libretas de la mesa. Esquivó mi intento de darle un pisotón en el pie y me miró mientras bajaba por el pasillo. Estaba a medio camino del gimnasio (donde Casey, la capitana de las animadoras, debía de estar terminando de entrenar), cuando me alcanzó.

—Oh, vamos, Duffy. Solo ha sido una broma. Alegra esa cara.

—No ha tenido gracia.

—Creo que necesitas mejorar tu sentido del humor —me sugirió—. A la mayoría de las chicas les encantan mis bromas.

—Esas chicas deben de tener un coeficiente intelectual tan pequeño que haría falta un microscopio para encontrarlo.

Wesley soltó una carcajada. Al parecer, yo era la graciosa.

—Oye, no llegaste a contarme por qué estabas disgustada la otra noche. Estabas demasiado ocupada metiéndome la lengua en la garganta. Bueno, ¿cuál era el problema?

—Eso no es asunto... —empecé, pero me detuve de pronto—. ¡Oye! Yo no... ¡No hubo lengua! —Me recorrió un estremecimiento de rabia al ver su sonrisa pícara—. ¡Cabrón! Lárgate de aquí. Dios, ¿por qué me acosas? Pensaba que Wesley Rush no perseguía a las chicas, que ellas lo perseguían a él, ¿no?

—Así es. Wesley Rush no persigue a las chicas, y no estoy persiguiéndote. Estoy esperando a mi hermana, que está haciendo un examen con el señor Rollins. Te he visto en la cafetería y he pensado...

—¿Qué? ¿Se te ha ocurrido torturarme un poco más? —Apreté los puños—. Déjame en paz de una vez. Ya me has amargado bastante la vida.

–¿Y cómo he hecho tal cosa? –me preguntó.

Parecía algo sorprendido, pero no le respondí. No quise darle la satisfacción de saber que el término «Duff» me atormentaba por su culpa. Le encantaría.

Así que eché a correr hacia las puertas del gimnasio lo más rápido que pude. Esta vez no me siguió, gracias a Dios. Entré en el gimnasio azul y naranja (ay, Dios, aquellos colores brillantes estaban dándome dolor de cabeza) y me senté en la grada más cercana.

–¡Buen entrenamiento, chicas! –gritó Casey desde el otro extremo del gimnasio–. Vale, el siguiente partido de baloncesto es el viernes. Quiero que todas practiquéis el baile y, Vikki, trabaja las patadas altas. ¿De acuerdo?

El Escuadrón Flacucho murmuró en señal de conformidad.

–Genial –dijo Casey–. Hasta luego, chicas. ¡Vamos, Panteras!

–¡Vamos, Panteras! –corearon las otras animadoras mientras se separaban.

La mayoría se fueron corriendo hacia el vestuario, pero unas cuantas se dirigieron a las puertas charlando con entusiasmo entre ellas.

Casey se acercó a mí dando saltitos.

–Hola, B. Siento que nos hayamos retrasado un poco. ¿Te importa que me cambie antes de irnos? Estoy algo sudada.

–Está bien –murmuré.

–¿Qué pasa? –preguntó, desconfiando de inmediato.

–No es nada, Casey. Ve a cambiarte.

–Bianca, se nota que…

–No quiero hablar de ello.

No pensaba tener otra discusión sobre Wesley con ella. Lo más probable era que acabara defendiéndolo como la última vez.

—Estoy bien, ¿vale? —le aseguré suavizando el tono—. Ha sido un día largo y me duele la cabeza.

Casey no parecía muy convencida cuando se marchó, bastante menos animada, rumbo a los vestuarios.

Estupendo. Me sentía como una auténtica bruja. Ella solo quería asegurarse de que estaba bien, y la había apartado. No debería haber descargado con ella el enfado con Wesley, aunque mi amiga pensara que era un maldito príncipe.

No obstante, cuando salió del vestuario vestida con una sudadera y unos vaqueros, había recobrado su alegría habitual. Se colgó el bolso del hombro y se acercó a donde yo estaba sentada, con una sonrisa en su rostro liso y sin imperfecciones.

—A veces no me puedo creer las tonterías que oigo en el vestuario —comentó—. ¿Lista para irnos, B.?

—Por supuesto.

Recogí mis libros y me dirigí a las puertas del gimnasio con la esperanza de que Wesley no siguiera merodeando por el pasillo. Casey debió de notar mi inquietud, porque pude ver la tensa expresión de preocupación que se reflejó en su rostro, pero no volvió a sacar el tema. En cambio, dijo:

—En fin, que Vikki va a acabar con fama de puta.

—Ya la tiene.

—Bueno, sí —admitió Casey—, pero está a punto de empeorar. Está saliendo con ese jugador de fútbol americano de tercero (ya sabes, como quiera que se llame), pero le dijo a un tío del Instituto Oak Hill que iría al baile con él. No sé por qué se mete en estos líos. Jess, tú y yo tendremos asientos en primera fila para el drama cuando todo se destape esa noche. Por cierto, ¿qué vas a ponerte para el baile?

–Nada.

–Qué sexy, pero dudo que te dejen entrar desnuda, B.

Estábamos atravesando el laberinto de mesas de la cafetería de camino al aparcamiento.

–No. Quiero decir que Jessica y yo no vamos a ir.

–Claro que iréis –protestó Casey.

Negué con la cabeza.

–Jessica está castigada y le prometí que iría a su casa a ver películas para chicas.

Casey parecía atónita mientras cruzábamos la puerta azul y nos adentrábamos en el gélido aparcamiento para alumnos.

–¿Qué? Pero si a Jess le encanta el baile en honor al equipo de baloncesto. Es su favorito después del de graduación y el del equipo de fútbol americano.

No pude evitar esbozar una pequeña sonrisa.

–Y el de Sadie Hawkins.

–¿Cómo es que no me había enterado? El baile será pronto. ¿Por qué no me lo habíais contado?

Me encogí de hombros.

–Lo siento. Ni se me había ocurrido. Y supongo que Jessica sigue demasiado deprimida para hablar del tema.

–Pero… pero ¿con quién voy a ir yo ahora?

–Esto… ¿con un chico? –le sugerí–. Vamos, Casey, no va a costarte conseguir pareja.

Me saqué las llaves del coche del bolsillo trasero y abrí las puertas.

—Claro, ¿a quién no le gustaría ir con *Bigfoot*?

—Tú no eres *Bigfoot*.

—Además —añadió, ignorándome—, prefiero ir con vosotras.

Se subió al asiento del pasajero y se envolvió en la manta que Jessica había usado un par de noches antes.

—Joder, B., tienes que arreglar la maldita calefacción.

—Y tú tienes que conseguir tu propio coche.

Casey cambió de tema.

—Vale, volviendo a lo del baile, si vosotras no vais a ir... ¿os importa que me una a vuestro maratón de cine? Podría ser una noche de chicas. Hace tiempo que no montamos una.

Sonreí, a pesar de mi mal humor. Casey tenía razón. Hacía mucho tiempo que no organizábamos una noche de cine, y estaría bien quedar sin el drama de los chicos ni la fuerte música tecno. Por una vez, puede que me divirtiera un viernes por la noche. Así que estiré la mano hacia el volumen del equipo de música y dije:

—Entonces quedamos para dentro de dos viernes.

6

Cuando al fin llegó el viernes de nuestra noche de chicas, estaba deseando pasar una tarde agradable y relajante con mis mejores amigas… y el maravilloso actor escocés James McAvoy, por supuesto. Había metido en la mochila la copia de *La joven Jane Austen* que Jessica me había regalado en Navidades, un pijama apenas usado (pues sí, duermo desnuda en casa, ¿y qué?) y el cepillo de dientes. Casey traería las palomitas y Jessica nos prometió grandes cuencos de helado de chocolate. Como si mi culo no fuera lo suficientemente grande.

Pero, por supuesto, no todo podía ir bien ese día. La señora Perkins, mi profe de Inglés, se aseguró de ello durante la cuarta hora.

–Bueno, así es *La letra escarlata* –dijo cerrando el libro–. ¿Os ha gustado, chicos?

Se oyeron algunos murmullos bajos diciendo que no, pero la señora Perkins no pareció darse cuenta.

–Como la obra de Hawthorne es tan maravillosa y puede aplicarse con tanta facilidad a la sociedad contemporánea, quiero que escribáis una redacción sobre la novela. –La profesora ignoró los fuertes suspiros–. La redacción puede ser sobre cualquier parte del libro (un personaje, una escena o un tema), pero quiero que esté muy bien desarrollada. También voy a permitiros trabajar en parejas…

La clase bulló de entusiasmo.

–... que asignaré yo.

El entusiasmo se esfumó.

Supe que estaba en un lío cuando la señora Perkins sacó la lista de alumnos. Eso quería decir que iba a asignar las parejas por orden alfabético y, puesto que no había ningún alumno cuyo apellido empezara por «Q» en esa clase, había muchas posibilidades de que mi compañero fuera...

–Bianca Piper trabajará con Wesley Rush.

«Mierda.»

Había conseguido evitar a Wesley durante una semana y media (desde el día que me había hostigado después de clase), pero la señora Perkins tenía que fastidiarlo.

Recitó los últimos nombres de la lista antes de añadir:

–Quiero que las redacciones tengan cinco páginas como mínimo. Y eso quiere decir tamaño de letra doce y a doble espacio, Vikki. No vuelvas a usar ese truco. –Se rió afablemente–. Quiero que los compañeros trabajen juntos. Ambos deben contribuir a la redacción. ¡Y sed creativos, chicos! ¡Que os divirtáis!

–No lo creo –le susurré a Jessica, que estaba sentada en el siguiente pupitre al mío.

–A mí me parece que tienes suerte, Bianca. Yo estaría encantada si Wesley fuera mi pareja. Pero mi corazón pertenece a Harrison. Es tan injusto que a Casey le haya tocado trabajar con él... –Echó un vistazo en dirección al pupitre de Casey, al otro extremo de la clase–. Probablemente podrá ver su casa, y hasta su cuarto. ¿Crees que le hablará bien de mí si se lo pido? Podría hacerme de celestina.

No me molesté en responder.

–¡Debéis entregar las redacciones dentro de una semana exactamente! –anunció la señora Perkins por encima de la cháchara–. Así que, por favor, trabajad en ello el fin de semana.

El timbre sonó y toda la clase se levantó al mismo tiempo. La bajita señora Perkins se apartó de en medio para evitar que la pisoteara la estampida que se dirigía a la puerta. Jessica y yo nos unimos a la multitud y Casey nos alcanzó cuando salimos al pasillo.

–Qué gilipollez –masculló–. ¿Una redacción sobre nada en particular? No quiero elegir un tema. ¡Ese es su trabajo! ¿Qué sentido tiene este maldito trabajo si ni siquiera puede darnos algo sobre lo que escribir? Es ridículo.

–Pero vas a trabajar con Harrison y...

–Por favor, Jessica, no empieces con eso –protestó Casey poniendo los ojos en blanco–. Es gay. No va a pasar, ¿vale?

–Nunca se sabe. Entonces, ¿no vas a hacerme de celestina?

–Os veo en la cafetería –les dije mientras giraba en dirección a mi taquilla–. Tengo que coger unas cosas.

–De acuerdo. –Casey agarró a Jessica por la muñeca y tiró de ella hacia el otro pasillo–. Nos encontraremos junto a las máquinas de aperitivos, ¿vale? Vamos, Jess.

Me dejaron sola en el abarrotado pasillo. Vale, puede que no estuviera abarrotado. El Instituto Hamilton solo contaba con unos cuatrocientos alumnos; pero, teniendo en cuenta la baja cifra, los pasillos parecían bastante concurridos esa tarde. O tal vez era que yo estaba estresada y empezaba a sentir claustrofobia. En fin, que mis amigas se fueron, y yo me quedé sola en medio de las bestias.

Me abrí paso entre los ruidosos deportistas y las parejas que se besuqueaban (me resulta asquerosa la gente que se mete mano en público) y me dirigí al pasillo de ciencias. Solo tardé unos minutos en llegar a mi taquilla, que, como el resto del espantoso instituto, estaba pintada de azul y naranja. Puse la combinación y abrí la puerta de un tirón. Un grupo de animadoras pasó corriendo por detrás de mí gritando:

–¡Vamos, Panteras! ¡Panteras! ¡Panteras!

Acababa de coger el abrigo y la mochila y estaba a punto de cerrar la puerta cuando apareció él. Sinceramente, pensé que tardaría menos.

–Parece que somos compañeros, Duffy.

Cerré la taquilla con un poco más de fuerza de la necesaria.

–Por desgracia, sí.

Wesley sonrió y se pasó los dedos por el pelo oscuro mientras se apoyaba en la taquilla situada junto a la mía.

–Bueno, ¿en tu casa o en la mía?

–¿Qué?

–Para hacer la redacción este fin de semana –dijo entrecerrando los ojos–. No te hagas ilusiones, Duffy. No estoy persiguiéndote. Solo intento ser un buen alumno. Wesley Rush no persigue a las chicas, ellas...

–... te persiguen a ti. Sí, ya lo sé. –Me puse el abrigo por encima de la camiseta–. Si tenemos que hacer esto, creo que...

–¡Wesley! –Una morena delgada a la que no reconocí (parecía de primer año) se le echó encima delante de mí y levantó hacia él sus ojos grandes y empalagosos–. ¿Bailarás conmigo esta noche?

–Por supuesto, Meghan –contestó mientras le pasaba una mano por la espalda. Wesley era lo bastante alto como para mirarle el escote sin problemas. Cabrón pervertido–. Te reservaré un baile, ¿vale?

–¿En serio?

–¿Acaso te mentiría?

–¡Oh, gracias, Wesley!

Él se agachó y la chica le dio un rápido beso en la mejilla antes de irse correteando, sin mirarme ni una vez. Wesley volvió a prestarme atención.

–¿Qué estabas diciendo?

–Creo que deberíamos quedar en mi casa –gruñí, apretando los dientes.

–¿Qué tiene de malo la mía? –preguntó–. ¿Tienes miedo de que esté encantada, Duffy?

–Claro que no. Pero prefiero trabajar en mi casa. Dios sabe qué enfermedades podría pillar con solo pisar tu cuarto. –Negué con la cabeza–. En mi casa, ¿vale? Mañana por la tarde a eso de las tres. Llama antes de venir.

No le di oportunidad de responder. Si tenía algún problema, escribiría la redacción yo sola. Me marché sin despedirme y me dirigí rápidamente hacia la cafetería rodeando los grupos de chicas que cotilleaban.

Encontré a Casey y Jessica esperándome junto a las viejas máquinas expendedoras.

–No lo entiendo, Case –estaba diciendo Jessica. Metió un dólar en la única máquina que funcionaba y esperó a que el refresco cayera en la ranura del fondo–. ¿No tienes que quedarte a animar el partido?

–No. Les dije a las chicas que esta noche no podía ir; así que una de las suplentes, una chica de primero muy mona, va a ocupar mi lugar. Lleva todo el año deseando animar, y se le da bien, pero no ha habido sitio para ella hasta ahora. Se las arreglarán sin mí.

Me situé junto a ellas antes de que Jessica me viera.

—¡Aquí está Bianca! ¡Larguémonos de aquí! ¡Yuju! ¡Noche de chicas!

Casey puso los ojos en blanco.

Jessica abrió la puerta azul que conducía al aparcamiento, sonriendo de oreja a oreja, y dijo:

—Sois las mejores, chicas. Lo digo en serio, sois lo máximo. No sé qué haría sin vosotras.

—Llorar en tu almohada todas las noches —contestó Casey.

—Pensar que tus otras amigas son lo máximo —propuse, devolviéndole la sonrisa.

No pensaba permitir que Wesley me minara la moral. ¡Ni hablar! Era nuestra noche de chicas, y no iba a arruinármela un cretino como él.

—No te habrás olvidado de que nos prometiste helado, ¿verdad, Jessica?

—Claro que no. Helado de chocolate.

Cruzamos el aparcamiento y subimos a mi coche. Jessica se envolvió en la vieja manta nada más entrar y Casey, que temblaba visiblemente, le lanzó una mirada de envidia mientras se abrochaba el cinturón de seguridad. Tras pisar rápidamente el acelerador, salimos pitando del aparcamiento para alumnos y tomamos la carretera, alejándonos a toda velocidad del Instituto Hamilton como si fuéramos presas huyendo de sus celdas… que en cierta forma es lo que éramos.

—No me puedo creer que no te propusieran para reina del baile este año, Casey —dijo Jessica desde el asiento trasero—. Estaba segura de que serías una de las candidatas.

—Qué va. Me votaron reina del baile en honor al equipo de fútbol americano. Hay una norma que dice que no se puede ganar más de una vez el mismo año. No podían elegirme esta vez. Estoy segura de que ganará Vikki o Angela.

—¿Crees que se pelearán si gana una de ellas? —Jessica parecía preocupada.

—Lo dudo —opinó Casey—. A Angela le importan un pepino esas tonterías. Vikki es la competitiva… Aunque estaba deseando presenciar el drama de esta noche. ¿Os había dicho que Vikki también piensa quedar con Wesley Rush?

—¡No! —exclamamos Jessica y yo a la vez.

—Pues sí —dijo Casey asintiendo con la cabeza—. Supongo que debe de estar intentando poner celoso a su novio. Sale con un chico de tercero, lleva a un tío del Instituto Oak Hill a nuestro baile y le cuenta a todo el mundo que le pone Wesley. Anda diciendo que se enrollaron hace poco después de una fiesta (supongo que su novio todavía no se ha enterado de eso) y que está pensando volver a hacerlo. Dijo que fue increíble.

—¿Wesley se acostó con ella? —preguntó Jessica con voz entrecortada.

—Wesley se acuesta con todo el mundo —dije mientras entraba en la calle Quinta—. Se tira a todo lo que tenga vagina.

—¡Por Dios, Bianca! —chilló Jessica—. No digas… esa palabra.

—Vagina, vagina, vagina —repitió Casey con tono cansino—. Supéralo, Jess. Tú también tienes una. Puedes llamarla por su nombre.

Jessica se puso roja como un tomate.

—Pero no hay ninguna razón para hablar de ello. Es grosero y… personal.

Casey la ignoró y me dijo:

–Puede que sea un mujeriego, pero está buenísimo. Incluso tú tienes que admitirlo, B. Apuesto a que es alucinante en la cama. Bueno, tú te enrollaste con él. ¿No fue increíble? ¿Puedes culpar a Vikki por querer liarse con él?

–¿Te enrollaste con Wesley? –graznó Jessica, atragantándose por la emoción–. ¿Qué? ¿Cuándo? ¿Por qué no me lo contaste?

Fulminé a Casey con la mirada.

–Le da vergüenza –explicó Casey mientras se ahuecaba el pelo de la nuca–. Lo que es una tontería, porque apuesto a que besarlo fue la bomba.

–No fue la bomba –repuse.

–¿Besa bien? –preguntó Jessica–. ¡Cuenta, cuenta, cuenta! Necesito saberlo.

–Pues sí, si tanto te interesa, besa bien. Pero eso no hace que sea menos repugnante.

–Pero –intervino Casey– responde a la pregunta basándote en tu experiencia. ¿Puedes culpar a Vikki por querer liarse con él?

–No es asunto mío. –Puse el intermitente–. Ya se culpará a sí misma cuando pille alguna enfermedad venérea... o cuando su novio se entere. Lo que pase primero.

–Por eso me apetecía ir al baile –se lamentó Casey–. Podríamos haberlo presenciado de primera mano. Como si un capítulo de *Gossip Girl* transcurriera en nuestro propio instituto. El novio de Vikki se cabrea y trama su venganza mientras la infiel de su novia se enrolla con el chico más cañón del instituto. Y Bianca, que oculta su amor secreto por Wesley, sufre y finge odiarlo mientras suspira en silencio por sus ardientes besos.

Me quedé boquiabierta.

–¡Yo no suspiro por él!

Jessica soltó una risotada en el asiento trasero y se cubrió la boca con la coleta para ocultar la sonrisa cuando la miré con el entrecejo fruncido por el retrovisor.

–Bueno –dijo Casey con tono resignado–, seguro que nos enteramos de todo el lunes.

–O mañana si la historia es lo bastante buena –apuntó Jessica–. Angela y Jeanine nunca se guardan los cotilleos. Ya sabes que si se arma una buena nos llamarán para contarnos lo que nos hemos perdido. Estoy segura –dijo con una sonrisa–. Espero que nos den todos los detalles. No puedo creer que esté perdiéndome mi último baile en honor al equipo de baloncesto.

–Al menos no te lo pierdes sola, Jess.

Unos segundos después de entrar en Holbrook Lane, aparqué en la entrada de los Gaither. Saqué las llaves del contacto y anuncié:

–Que la noche de chicas empiece oficialmente.

–¡Vamos! –Jessica salió de un salto del asiento trasero y prácticamente subió dando brincos al porche de su casa.

Abrió la puerta y Casey y yo la seguimos dentro, moviendo la cabeza en un gesto de diversión. Me quité la chaqueta y la colgué en el gancho que había justo en la entrada. Jessica vivía en una de esas casas que parecen sacadas de una revista: limpia, ordenada, hasta había que dejar los zapatos en la entrada. Sus padres eran unos maniáticos del orden. Casey hizo lo mismo y comentó:

–Ojalá mi madre pudiera mantener la casa tan bonita. O por lo menos podría contratar a una mujer de la limpieza o algo. Nuestra casa está hecha un asco.

La mía tampoco era nada del otro mundo. A mamá nunca la había obsesionado la limpieza, y papá solo creía en limpiar una vez al año, en primavera. Aparte de hacer la colada, lavar los platos y limpiar el polvo y pasar la aspiradora de vez en cuando (de lo que normalmente me encargaba yo), no se hacían muchas tareas domésticas en la casa de los Piper.

—¿A qué hora llegan tus padres, Jessica? —pregunté.

—Mamá volverá a casa a las cinco y media y papá debería llegar un poco después de las seis. —Estaba esperándonos al pie de las escaleras, lista para subir corriendo a su cuarto en cuanto nos reuniéramos con ella—. Aunque papá ha empezado a ver a un paciente nuevo hoy, así que puede que se retrase un poco.

El señor Gaither era terapeuta. Casey me había amenazado más de una vez con pedirle que me atendiera gratis, para ver si podía ayudarme a resolver mis «problemas». No es que yo tuviera problemas, pero Casey opinaba que mi cinismo era el resultado de algún tipo de conflicto interno, por mucho que yo le asegurara que solo era una demostración de inteligencia. Y Jessica... bueno, Jessica no decía nada. Aunque solo bromeábamos, nuestra amiga siempre se sentía un poco incómoda cuando surgía el tema. Con toda la palabrería psicológica que debía de soltarle su padre, seguramente creyera que mi constante negatividad sí era parte de un conflicto interno. Jessica odiaba la negatividad. De hecho, la odiaba tanto que nunca admitiría que la odiaba. Eso sería demasiado negativo.

—¡Vamos, vamos! ¿Estáis listas?

—¡Que empiece la fiesta! —gritó Casey, que pasó junto a Jessica y subió corriendo las escaleras.

Jessica se rió como una loca mientras se esforzaba por alcanzar a Casey, pero yo me quedé atrás y las seguí a ritmo normal. Cuando llegué al rellano, pude oír a mis amigas riéndose y hablando en el dormitorio situado al final del pasillo, pero no seguí sus voces. Otra cosa captó mi atención primero.

La puerta del primer cuarto, el que se hallaba a la izquierda, estaba abierta de par en par. La cabeza me dijo que pasara de largo, pero mis pies se negaron a escuchar. Me quedé en la puerta abierta, instando a mis ojos a mirar a otro lado. Mi cuerpo no quiso cooperar.

La cama estaba hecha a la perfección con un edredón azul marino, había pósters de superhéroes cubriendo cada centímetro de la pared y una bombilla negra colgaba sobre el cabecero. La habitación estaba casi exactamente como la recordaba, salvo que no había ropa sucia en el suelo. El armario abierto parecía vacío y habían sacado el calendario de Spiderman que antes colgaba sobre la mesa del ordenador. Pero la habitación todavía parecía cálida, como si él siguiera allí. Como si yo todavía tuviera catorce años.

–Jake, no lo entiendo. ¿Quién era esa chica?

–Nadie. No te preocupes por eso. Ella no significa nada para mí.

–Pero…

–Calla… No tiene importancia.

–Te quiero, Jake. No me mientas, ¿vale?

–Yo nunca te mentiría.

–¿Me lo prometes?

–Por supuesto. ¿De verdad piensas que te haría daño, Bi…?

–¡Bianca! ¿Dónde diablos estás?

La voz de Casey me sobresaltó. Salí del cuarto rápidamente y cerré la puerta, pues sabía que no sería capaz de pasar por delante cada vez que necesitara hacer pis esa noche.

–¡Ya voy! –Conseguí que mi voz sonara normal–. ¡Por Dios!, sé paciente por una vez en tu vida.

Y entonces, forzando una sonrisa, fui a ver una película con mis amigas.

7

Después de pensarlo un rato, decidí que ser la Duff tenía muchas ventajas.

Primera: no tenías que preocuparte de tu peinado ni del maquillaje. Segunda: no había ninguna presión por ser guay... después de todo, nadie se fijaba en ti. Tercera: no tenías problemas de chicos.

Comprendí la tercera ventaja mientras veíamos *Expiación* en el cuarto de Jessica. En la película, la pobre Keira Knightley tenía que sufrir toda una tragedia con James McAvoy; pero, si no hubiera sido guapa, él nunca se habría fijado en ella. Y no le habría roto el corazón. Al fin y al cabo, todo el mundo sabe que ese rollo de que «es mejor haber amado y perdido...» no es más que una gilipollez.

Esa teoría se aplica a otro montón de películas. Pensadlo. Si Kate Winslet hubiese sido la Duff, Leonardo DiCaprio no habría ido tras ella en *Titanic*, y eso podría habernos ahorrado a todos un montón de lágrimas. Si Nicole Kidman hubiera sido fea en *Cold Mountain*, no habría tenido que preocuparse por Jude Law cuando se fue a la guerra. La lista es interminable.

Yo misma había visto sufrir a mis amigas continuamente por los chicos. Por lo general, las relaciones terminaban con ellas llorando (Jessica) o gritando (Casey). A mí solo me habían roto el corazón una vez, pero había sido más que suficiente. Así que ver *Expiación* con mis amigas me hizo comprender lo agradecida que debería estar por ser la Duff. Qué locura, ¿no?

Por desgracia, ser la Duff no me salvaba de sufrir dramas familiares.

Llegué a casa a eso de la una y media de la tarde del día siguiente. Todavía seguía recuperándome tras haberme quedado a dormir con mis amigas (aunque ninguna durmió) y apenas podía mantener los ojos abiertos. Sin embargo, ver mi casa completamente destrozada me espabiló al instante. Había cristales rotos esparcidos por el suelo de la sala de estar, la mesa de centro estaba volcada (como si le hubieran dado una patada), y tardé un minuto en asimilar que había botellas de cerveza desperdigadas por la habitación. Me quedé paralizada en la puerta un momento, temiendo que nos hubieran robado. Entonces escuché los fuertes ronquidos de mi padre que salían de su cuarto, al fondo del pasillo, y supe que la verdad era aún peor.

Nosotros no vivíamos en una casa de revista, por lo que estaba permitido pisar la alfombra con los zapatos puestos. Hoy era indispensable. Los cristales, que supuse que habían salido de varios marcos de fotos rotos, crujieron bajo mis pies cuando me dirigí a la cocina a buscar una bolsa de basura. La necesitaría para limpiar ese desastre.

Me sentí como atontada mientras recorría la casa, aunque sabía que debería estar flipando. Después de todo, papá había permanecido sobrio casi dieciocho años, y las botellas de cerveza dejaban bastante claro que esa sobriedad estaba en peligro. Pero yo no sentía nada. Tal vez porque no sabía qué sentir. ¿Qué podría haber pasado que fuese tan grave como para que recayera después de tanto tiempo?

Encontré la respuesta en la mesa de la cocina, oculta dentro de un sobre de papel manila.

–Una solicitud de divorcio –murmuré mientras examinaba el contenido del paquete abierto–. Pero ¿qué narices...?

Me quedé mirando la sinuosa firma de mi madre en un retorcido estado de shock. Claro que lo había visto venir (cuando tu madre desaparece durante más de dos meses, te imaginas cómo acabarán las cosas), pero ¿ahora? ¿En serio? ¡Ni siquiera me había llamado para avisarme! Ni a mi padre.

–Joder –susurré con los dedos temblorosos.

Él no se lo esperaba. Dios, no era de extrañar que le hubiera dado por empinar el codo de pronto. ¿Cómo podía hacerle eso mamá? ¿Cómo podía hacernos eso?

«Será zorra... En serio, que le den.»

Tiré el sobre a un lado y fui al armario donde guardábamos los productos de limpieza luchando por contener las lágrimas que me quemaban los ojos. Cogí una bolsa de basura y me dirigí a la sala de estar destrozada.

La realidad me golpeó de repente, provocándome un nudo en la garganta mientras recogía una de las botellas de cerveza vacías. Mamá no iba a volver a casa, papá había vuelto a beber y yo estaba recogiendo los pedazos literalmente. Junté los fragmentos de cristal más grandes y las botellas vacías y los tiré en la bolsa intentando no pensar en mi madre. Intentando no pensar en que probablemente tendría un bronceado perfecto. Intentando no pensar en el guapo latino de veintipocos al que seguramente se estaría tirando. Intentando no pensar en la perfecta firma que había utilizado en los papeles del divorcio.

Estaba enfadada con ella. Muy enfadada. ¿Cómo podía hacer eso? ¿Cómo podía enviar los papeles del divorcio así sin más? Sin venir a casa ni avisarnos. ¿Acaso no sabía cómo le afectaría a papá? Y ni siquiera había pensado en mí. Lo mínimo que podría haber hecho era llamar para prepararme. Justo entonces, mientras recorría la sala de estar, decidí que odiaba a mi madre. La odiaba por no estar nunca. La odiaba por conmocionarnos con esos documentos. La odiaba por hacerle daño a papá.

Mientras llevaba la bolsa de basura llena de marcos de fotos rotos a la cocina, me pregunté si mi padre habría logrado acabar con aquellos recuerdos: los recuerdos de mamá y él que habían capturado las fotografías. Probablemente no. Por eso le había hecho falta el alcohol. Cuando ni siquiera eso había conseguido borrar el rostro de mi madre de su mente, debía de haber dado tumbos por la sala como un borracho loco.

Yo nunca había visto a mi padre borracho, pero sabía por qué lo había dejado. Los había oído a él y a mamá hablar de ello un par de veces cuando era pequeña. Por lo visto, tenía mal genio cuando estaba pedo. Tan malo que mamá se había asustado y le había suplicado que lo dejara. Supuse que eso explicaba la mesa de centro volcada.

No obstante, no conseguía procesar la idea de que mi padre estuviera borracho. Es que ni siquiera podía imaginármelo empleando una palabrota más fuerte que «mierda». Pero lo del mal genio ni me cabía en la cabeza.

Esperé que no se hubiera cortado con ningún cristal. A fin de cuentas, no lo culpaba de eso. Culpaba a mi madre. Ella le había hecho eso al marcharse, al desaparecer, al no llamar ni avisar. Papá nunca habría recaído si no hubiera visto esos malditos papeles. Estaría bien, viendo la tele por cable y leyendo el *Hamilton Journal*. No durmiendo la mona.

Me repetí una y otra vez que no debía llorar mientras volvía a poner de pie la mesa de centro y pasaba la aspiradora para recoger los restos de cristal más pequeños de la alfombra. No podía llorar. Si hubiera llorado, no habría tenido nada que ver con el hecho de que mis padres fueran a divorciarse. No era ninguna sorpresa. No habría sido porque echara de menos a mi madre. Llevaba fuera demasiado tiempo para que me afectara ahora. Ni siquiera habría estado lamentándome por la familia que una vez tuve. Era feliz con mi vida tal como era, solos mi padre y yo. No, si hubiera llorado, habría sido por rabia, por miedo o por otro motivo completamente egoísta. Habría llorado por lo que significaba para mí, porque ahora yo tendría que ser la adulta y cuidar de papá. Pero en ese momento mi madre, que estaba viviendo como una estrella en el condado de Orange, ya estaba siendo lo bastante egoísta por las dos, así que tenía que dejar de lado las lágrimas.

Acababa de volver a guardar la aspiradora en el lavadero cuando sonó el teléfono inalámbrico.

—¿Sí? —dije cogiendo el auricular.

—Buenas tardes, Duffy.

Ay, mierda. Me había olvidado de que tenía que trabajar con Wesley en aquel estúpido proyecto. De toda la gente a la que podría ver hoy, ¿por qué tenía que ser justamente él? ¿Por qué tenía que empeorar aún más el día?

–Son casi las tres. Ya estoy listo para ir a tu casa. Me dijiste que te llamara antes de salir... Estoy siendo considerado.

–Tú ni siquiera sabes lo que significa eso.

Eché un vistazo hacia el pasillo, desde donde llegaban los ronquidos de mi padre. Aunque la sala de estar ya no era una trampa mortal, todavía no tenía buena pinta, y a saber de qué humor estaría mi padre cuando despertara. Seguramente no estaría muy contento. Ni siquiera sabía qué le diría cuando lo viera.

–Oye, mira, pensándolo bien, mejor voy yo a tu casa. Te veo en veinte minutos.

En todos los pueblos hay una casa así. Ya sabéis, una casa tan increíblemente bonita que no pega ni con cola. Una casa tan lujosa que es como si los dueños te restregaran su dinero por la cara. Todos los pueblos del mundo tienen una casa así, y en Hamilton esa casa pertenecía a la familia Rush.

No estoy segura de si técnicamente se la podría llamar mansión, pero tenía tres plantas y dos balcones. ¡Balcones, por el amor de Dios! Me había quedado mirándola embobada un millón de veces al pasar con el coche, pero nunca pensé que llegaría a entrar. Cualquier otro día, habría sentido cierto entusiasmo por ver el interior (claro que nunca se lo habría confesado a nadie); pero estaba tan ensimismada pensando en los papeles del divorcio que había sobre la mesa de la cocina de mi casa que lo único que sentía era preocupación y tristeza.

Wesley me recibió en la puerta principal, con una irritante sonrisa de confianza en la cara. Se apoyó contra el marco de la puerta, con los brazos cruzados sobre el ancho pecho. Llevaba puesta una camisa azul oscuro de botones con las mangas remangadas hasta los codos. Naturalmente, se había dejado los últimos botones sin abrochar.

–Hola, Duffy.

¿Sabría cuánto me molestaba aquel apodo? Eché un vistazo hacia el camino de entrada, que estaba vacío salvo por mi coche y su Porsche.

–¿Dónde están tus padres? –le pregunté.

–No están –contestó guiñándome un ojo–. Parece que estamos solos.

Entré dejándolo a un lado y me detuve en el amplio vestíbulo mientras ponía los ojos en blanco en un gesto de repugnancia. Coloqué los zapatos cuidadosamente en un rincón y me volví hacia Wesley, que me observaba con cierto interés.

–Acabemos con esto de una vez.

–¿No quieres que te enseñe la casa?

–Pues no.

Wesley se encogió de hombros.

–Tú te lo pierdes. Sígueme.

Me guió hasta la inmensa sala de estar, que seguramente era tan grande como la cafetería del instituto. Dos gruesas columnas sostenían el techo y había tres sofás de color beis, junto con dos sillones a juego, repartidos por la habitación. En una pared vi un enorme televisor de pantalla plana y en la otra, una gigantesca chimenea. El sol de enero entraba por los ventanales que cubrían toda la pared iluminando el lugar con una atmósfera cálida y feliz. Pero Wesley giró y empezó a subir por las escaleras, alejándose de la reconfortante habitación.

—¿Adónde vas? —exigí saber.

Me miró por encima del hombro con un suspiro de exasperación.

—A mi cuarto. ¿Adónde si no?

—¿No podemos hacer la redacción aquí abajo? —pregunté.

Las comisuras de la boca se le curvaron ligeramente hacia arriba mientras se tocaba el cinturón con un dedo.

—Pues sí, Duffy, pero iremos mucho más rápido con un teclado, y mi ordenador está arriba. Eres tú la que ha dicho que quería acabar con esto de una vez.

—Vale —refunfuñé, y subí las escaleras dando fuertes pisotones.

El cuarto de Wesley estaba en el último piso (era una de las habitaciones con balcón) y era más grande que mi sala de estar. Aún no había hecho la enorme cama y había estuches de videojuegos tirados por el suelo junto a su PlayStation 3, que estaba conectada a una gran tele. Sorprendentemente, la habitación olía bien. Era una mezcla entre la colonia de Wesley y el aroma a ropa recién lavada, como si acabara de guardar la colada. La estantería a la que se acercó estaba abarrotada de libros de diferentes autores, desde James Patterson a Henry Fielding.

Wesley se inclinó para estudiar la estantería y aparté la mirada de sus vaqueros mientras él cogía su ejemplar de *La letra escarlata* de una balda y se sentaba en la cama. Me hizo un gesto para que me uniera a él, a lo que acepté de mala gana.

—Bueno —dijo hojeando distraído el ejemplar de tapa dura—, ¿sobre qué escribimos el trabajo? ¿Tienes alguna idea?

–No lo…

–He pensado que podríamos hacer un análisis de Hester –sugirió–. Suena a tópico, pero me refiero a un estudio a fondo del personaje. Sobre todo, ¿por qué tuvo la aventura? ¿Por qué se acostó con Dimmesdale? ¿Lo amaba o es que simplemente era promiscua?

Puse los ojos en blanco.

–Señor. ¿Siempre buscas la respuesta más simple? Hester es mucho más compleja. Ninguna de esas opciones demuestra ni pizca de imaginación.

Wesley me miró arqueando una ceja.

–Muy bien –dijo despacio–. Si eres tan lista, ¿por qué lo hizo? Ilumíname.

–Para evadirse.

Vale, puede que eso fuera un poco rebuscado, pero no dejaba de ver aquel maldito sobre de papel manila. De pensar en la zorra egoísta que tenía por madre. No dejaba de preguntarme qué aspecto tendría mi padre después de emborracharse por primera vez en dieciocho años. Mi mente buscaba cualquier cosa (lo que fuera) que me distrajera de esos dolorosos pensamientos, y se me ocurrió que tal vez no fuera tan ridículo pensar que Hester se sintiera igual. Estaba sola, rodeada de puritanos hipócritas y casada con un inglés repulsivo y ausente.

–Solo buscaba algo que la distrajera de toda la mierda que había en su vida –masculló–. Una vía de escape…

–Si es así, no lo hizo muy bien. Al final, le salió el tiro por la culata.

En realidad no estaba escuchándolo. Mi mente había retrocedido unas cuantas noches, al momento en el que había encontrado la manera de olvidar mis problemas. Recordé la forma en la que mis pensamientos habían guardado silencio, dejando que mi cuerpo tomara el control. Recordé la dicha del olvido. Cómo, incluso después de que acabara, estaba tan concentrada en lo que había hecho que mis otras preocupaciones apenas existían.

–... así que supongo que esa idea podría tener sentido. Desde luego, es un punto de vista diferente, y a Perkins le gusta la creatividad. Puede que hasta saquemos un 'sobresaliente.

Wesley se volvió hacia mí y la preocupación se reflejó de pronto en su cara.

–Duffy, ¿estás bien? Tienes la mirada perdida.

–No me llames Duffy.

–Vale. ¿Estás bien, Bian...?

Antes de que pudiera pronunciar mi nombre, recorrí el espacio que nos separaba y pegué rápidamente mis labios a los suyos. El vacío mental y emocional se apoderó de mí al instante, pero físicamente estaba más alerta que nunca. La sorpresa de Wesley no duró tanto como la primera vez y, en cuestión de segundos, ya tenía sus manos sobre mi cuerpo. Mis dedos se enredaron en su suave pelo y la lengua de Wesley se introdujo en mi boca convirtiéndose en una nueva arma en nuestra guerra.

Una vez más, mi cuerpo tomó el control por completo. No existía nada en los márgenes de mi mente, ningún pensamiento irritante me agobiaba. Incluso el sonido del equipo de música de Wesley, del que salía algo de rock suave que no reconocí, fue desvaneciéndose a medida que mi sentido del tacto se agudizaba.

Fui plenamente consciente de cómo la mano de Wesley fue subiendo por mi torso y me cubrió un pecho. Lo aparté con esfuerzo y vi que tenía los ojos muy abiertos cuando se echó hacia atrás.

–Por favor, no vuelvas a pegarme –pidió.

–Cierra el pico.

Podría haber parado en aquel momento. Podría haberme levantado y haber salido del cuarto. Podría haber dejado que ese beso fuera el punto final. Pero no lo hice. La sensación de entumecimiento mental que me provocaba besarlo era tan excitante (como un subidón) que no pude soportar dejarlo tan rápido. Puede que odiara a Wesley, pero él era la clave para escapar de mis problemas, y en ese momento lo deseaba... lo necesitaba.

Sin decir una palabra, sin dudar, me quité la camiseta y la tiré al suelo. Wesley no tuvo ocasión de decir nada antes de que apoyara las manos en sus hombros y lo empujara de espaldas. Un segundo después, estaba a horcajadas sobre él y nos besábamos de nuevo. Me desabrochó el sujetador, que se reunió con mi camiseta en el suelo. No me importó. No me sentí cohibida ni tímida. Después de todo, él ya sabía que era la Duff, así que no tenía que impresionarlo.

Le desabroché la camisa mientras él me sacaba la pinza del pelo y dejaba que los rizos caoba nos rodearan. Casey estaba en lo cierto: Wesley tenía un cuerpo estupendo. La piel se tensaba sobre su pecho esculpido y recorrí sus musculosos brazos con las manos, asombrada.

Desplazó los labios hasta mi cuello, dándome un momento para respirar. Estando tan cerca de él, lo único que podía oler era su colonia. Mientras su boca bajaba por mi hombro, una idea se abrió paso entre la euforia. Me pregunté por qué no se había apartado asqueado de mí, de Duffy. Pero entonces caí en la cuenta de que Wesley no tenía fama de rechazar a las chicas. Y, además, era yo la que debería estar asqueada.

Pero entonces su boca volvió a posarse sobre la mía y aquel minúsculo y fugaz pensamiento se desvaneció. Por instinto, le tiré del labio inferior con los dientes y Wesley dejó escapar un gemido suave. Me deslizó las manos por las costillas, haciéndome estremecer. Me invadió la felicidad. Una felicidad pura y sin adulterar.

Solo en una ocasión, cuando Wesley me tumbó de espaldas, me planteé en serio parar. Me miró mientras su hábil mano agarraba la cremallera de mis vaqueros. Mi aletargado cerebro despertó y me pregunté si las cosas habrían ido demasiado lejos. Pensé en quitármelo de encima y dar el asunto por terminado en ese momento. Pero ¿por qué querría parar ahora? ¿Qué podía perder? Aunque ¿qué podía ganar? ¿Qué opinaría de eso dentro de una hora... o menos?

Antes de que se me ocurriera alguna respuesta, Wesley me había quitado los vaqueros y las braguitas. Se sacó un condón del bolsillo (vale, ahora que lo pienso, ¿quién lleva condones en los bolsillos? En la cartera, vale, pero ¿en el bolsillo? Es una actitud bastante presuntuosa, ¿no os parece?) y luego sus pantalones también acabaron en el suelo. De repente, estábamos echando un polvo, y mis pensamientos enmudecieron de nuevo.

8

Solo tenía catorce años cuando perdí la virginidad con Jake Gaither. Él acababa de cumplir los dieciocho, y yo sabía que era demasiado mayor para mí. Aun así, era mi primer año de instituto y quería tener novio. Anhelaba caer bien y encajar, y Jake estaba en el último curso y tenía coche. En aquel momento, aquello me parecía la perfección.

En los tres meses que estuvimos juntos, nunca tuve una cita de verdad con Jake. Nos enrollamos un par de veces en la última fila de un cine oscuro, pero nunca fuimos a cenar, a jugar a los bolos ni nada de eso. Nos pasábamos la mayor parte del tiempo escabulléndonos para que ni nuestros padres ni su hermana (que luego se convertiría en una de mis mejores amigas) se enterasen de lo nuestro. La verdad era que todo aquel secretismo me resultaba divertido y excitante. Era como un romance prohibido… como en *Romeo y Julieta*, que había leído en clase de Inglés ese semestre.

Nos acostamos varias veces y, aunque en realidad no disfrutaba con la parte del sexo concretamente, la sensación de intimidad, de conexión, me resultaba reconfortante. Cuando Jake me tocaba así, sabía que me quería. Yo sabía que el sexo era algo bonito y lleno de pasión, y estar con él era lo correcto.

Acostarme con Wesley Rush fue algo completamente diferente. Aunque sin duda obtuve mayor placer físico, no hubo intimidad ni cariño. Cuando acabó, me sentí sucia, como si hubiera hecho algo malo y vergonzoso; pero, al mismo tiempo, me sentí bien. Me sentía viva, libre e indomable. La mente se me había despejado por completo, como si alguien hubiera apretado el botón de reinicio. Sabía que la euforia no duraría para siempre, pero el remordimiento valía la pena a cambio de la evasión pasajera.

–Vaya –dijo Wesley. Solo hacía unos minutos que habíamos terminado y estábamos tendidos en la cama, con unos treinta centímetros o más de separación entre nuestros cuerpos–. Esto no me lo esperaba.

Dios, siempre lo estropeaba todo cuando hablaba. Enfadada, y analizando todavía las repercusiones emocionales, solté con sorna:

–¿Qué pasa? ¿Te avergüenzas de haberte tirado a la Duff?

–No. –Me sorprendió lo serio que sonó–. Nunca me avergüenzo de nadie con quien me haya acostado. El sexo es una reacción química natural. Siempre sucede por una razón. ¿Quién soy yo para decidir quién experimenta el placer de compartir mi cama? –No me vio poner los ojos en blanco mientras continuaba–: No, me refería a que estoy asombrado. Estaba empezando a pensar que me odiabas.

–Y te odio –le aseguré mientras apartaba las mantas y me ponía a recoger mi ropa.

–No debes de odiarme demasiado –comentó Wesley, que se apoyó en un codo y me observó vestirme–. Prácticamente te me echaste encima. Por lo general, el odio no inspira esa clase de pasión.

Me puse la camiseta antes de contestar.

–Créeme, Wesley, sí que te odio. Solo estaba utilizándote. Tú utilizas continuamente a la gente, por lo que estoy segura de que lo entiendes. –Me abroché los vaqueros y cogí la pinza para el pelo de la mesita de noche–. Ha sido divertido; pero, si se lo cuentas a alguien, te juro que te capo. ¿Entendido?

–¿Por qué? –quiso saber–. Tu reputación mejoraría si la gente descubriese que nos hemos acostado.

–Tal vez –admití–. Pero no quiero mejorar mi reputación, y menos aún así. Bueno, ¿vas a mantener la boca cerrada o tengo que buscar algún objeto afilado?

–Un caballero no va por ahí hablando de sus conquistas.

–Pero tú no eres un caballero –repuse mientras volvía a recogerme el pelo con la pinza–. Eso es lo que me preocupa.

Le eché un vistazo a mi reflejo en el espejo de cuerpo entero de la pared. En cuanto estuve segura de que tenía un aspecto normal (es decir, no culpable), me volví de nuevo hacia Wesley.

–Date prisa, ponte los pantalones. Tenemos que terminar este estúpido trabajo.

Pasaban un poco de las siete de la tarde cuando terminamos la redacción de Inglés. O, por lo menos, terminamos el borrador. Le hice prometerme que me lo enviaría luego por correo electrónico para poder corregirlo.

–¿No te fías de que lo haga yo? –preguntó enarcando una ceja mientras me ponía los zapatos en el vestíbulo.

–No me fío de ti para nada –contesté.

–Salvo para echar un polvo. –Esbozaba esa sonrisilla que tanto odiaba–. Bueno, ¿esto ha sido cosa de una vez o volveré a verte?

Me preparé para soltar un resoplido de desdén, para decirle que flipaba si de verdad pensaba que iba a volver a pasar, pero entonces recordé que tenía que volver a casa. Seguramente el sobre de papel manila todavía seguiría sobre la mesa de la cocina.

—¿Bianca? —me preguntó Wesley. Un estremecimiento me recorrió la piel cuando me tocó el hombro—. ¿Estás bien?

Me aparté y me dirigí a la puerta. Ya había empezado a salir cuando me volví hacia él y, tras vacilar un momento, dije:

—Ya veremos.

A continuación, bajé corriendo los escalones de la entrada.

—Espera, Bianca.

Me apreté la chaqueta alrededor del cuerpo, intentando luchar contra el frío viento, y abrí bruscamente la puerta de mi coche. Lo tuve detrás de mí en cuestión de segundos, pero, gracias a Dios, esta vez no me tocó.

—¿Qué pasa? —solté mientras me sentaba en el asiento del conductor—. Tengo que volver a casa.

Mi casa era el último lugar del mundo al que me apetecía ir.

El cielo invernal ya se había oscurecido, pero todavía podía ver los ojos grises de Wesley en la penumbra. Eran exactamente del mismo color que el cielo antes de una tormenta. Se puso en cuclillas junto a la puerta para que nuestros ojos quedaran a la misma altura. La forma en la que me miró me hizo sentir incómoda.

—No has contestado a la otra pregunta.

—¿Qué pregunta?

–¿Estás bien?

Me quedé mirándolo un rato con el ceño fruncido, asumiendo que solo intentaba darme el coñazo. Pero algo en sus ojos brillantes me hizo vacilar.

–Eso no importa –susurré. Arranqué el coche y él se apartó cuando cerré la puerta de golpe–. Adiós, Wesley.

Y, entonces, me marché.

Cuando llegué a casa, mi padre todavía seguía en su cuarto. Terminé de limpiar la sala de estar, evitando completamente la cocina, y subí las escaleras para darme una ducha. El agua caliente no se llevó la sensación de suciedad que Wesley me había dejado en la piel, pero me relajó los nudos que se me estaban formando en los músculos de la espalda y los hombros. Solo esperaba dejar de sentirme sucia con el tiempo.

Acababa de envolverme con una toalla cuando empezó a sonar mi móvil en el cuarto y eché a correr por el pasillo para llegar a tiempo.

–Hola, B. –me dijo Casey al oído–. Bueno, ¿Wesley y tú ya lo habéis hecho?

–¿Qué?

–Ibais a hacer el trabajo de Inglés hoy, ¿no? Tenía entendido que iba a ir a tu casa.

–Ah… sí. Bueno, al final he ido yo a la suya. –Me esforcé en no sonar culpable.

–¡Ay, Dios mío! ¿A la mansión? –preguntó Casey–. ¡Qué suerte! ¿Has salido a algún balcón? Vikki dice que esa es una de las razones por las que quiere volver a liarse con él. La última vez lo hicieron en el asiento trasero de su Porsche, pero ella está deseando ver el interior de la casa.

—Casey, ¿esta conversación lleva a alguna parte?

—Ah, sí. –Se rió–. Perdona. No es nada. Solo quería asegurarme de que estabas bien.

¿Por qué le había dado a todo el mundo por preguntarme lo mismo esa noche?

—Ya sé que lo odias –continuó–, así que quería asegurarme de que estuvieras bien... y de que él también lo estuviera. No lo habrás apuñalado ni nada por el estilo, ¿verdad? Estoy totalmente en contra de matar tíos buenos; pero, si necesitas ayuda para enterrar el cuerpo, puedo llevar una pala.

—Gracias, Casey –contesté–, pero está vivo. No fue tan malo como esperaba. De hecho...

Casi se lo cuento todo. Que mis padres iban a divorciarse y que, en un momento de desesperación, había vuelto a besar a Wesley Rush. Que ese beso se había transformado en algo mucho más intenso. Que me sentía sucia de los pies a la cabeza y, sin embargo, al mismo tiempo, asombrosamente liberada. Tenía las palabras en la punta de la lengua, pero no pude pronunciarlas. Todavía no.

—¿De hecho qué, B.? –me preguntó sacándome de mi ensimismamiento.

—Pues... nada. Que de hecho Wesley tenía buenas ideas para el trabajo. Eso es todo. Supongo que debe de ser un fanático de Hawthorne o algo por el estilo.

—Vaya, qué bien. Sé que los chicos listos te parecen sexys. ¿Ya estás dispuesta a admitir que te pone?

Me quedé helada, sin saber qué responder a eso, pero Casey estaba riéndose.

—Es broma, pero me alegro de que todo haya salido bien. Estaba un poco preocupada. Tenía el presentimiento de que iba a pasar algo malo. Supongo que no eran más que paranoias mías.

–Probablemente.

–Tengo que dejarte. Jessica quiere que la llame para contarle todos los detalles de mi encuentro con Harrison. No se entera, ¿verdad? En fin, te veo en clase el lunes.

–Vale. Adiós.

–*Ciao*, B.

Cerré el móvil y lo dejé en la mesita de noche, sintiéndome como una auténtica mentirosa. Técnicamente, no había mentido, solo me había callado algunas cosas; pero aun así... ocultarle algo a Casey era una especie de pecado mortal. Sobre todo cuando ella siempre procuraba escuchar mis problemas.

Aunque acabaría contándoselo. Bueno, lo de mis padres, al menos. Primero necesitaba asimilarlo yo antes de soltárselo a ella y a Jessica. En cuanto al asunto de Wesley... Dios, esperaba que nunca se enterasen.

Me arrodillé a los pies de la cama y me puse a doblar la ropa limpia, como cada noche. Curiosamente, no estaba tan estresada como había esperado. Odiaba admitirlo, pero era gracias a Wesley.

9

Papá no salió de su cuarto en todo el fin de semana. Llamé a la puerta un par de veces el domingo por la tarde y me ofrecí a hacerle algo de comer, pero él simplemente murmuró una negativa sin llegar a abrir la puerta que nos separaba. Su aislamiento me aterrorizaba. Debía de estar deprimido por lo de mamá, y avergonzado por haber vuelto a beber, pero yo sabía que esa actitud no era saludable. Decidí que, si no había salido el lunes por la tarde, entraría yo misma por la fuerza y... Bueno, no sabía qué haría después. Mientras tanto, intenté no pensar en mi padre ni en los papeles del divorcio que había sobre la mesa de la cocina.

Sorprendentemente, me resultó bastante fácil.

La mayor parte de mis pensamientos se centraban en Wesley. Qué horror, ¿no? La verdad era que no sabía cómo comportarme el lunes en clase. ¿Qué había que hacer después de tener un rollo de una noche (o, en mi caso, de una tarde) con el mayor capullo del instituto? ¿Se suponía que debía actuar como si no hubiera pasado nada? ¿Tratarlo con la evidente animadversión de siempre? ¿O, como en realidad había disfrutado, debería mostrarme agradecida o algo así? ¿Moderar mi desprecio y ser amable? ¿Le debía algo? Claro que no. Él había sacado de la experiencia tanto como yo, salvo por el autodesprecio.

Cuando llegué al instituto el lunes por la mañana, más o menos había decidido evitarlo por completo.

–¿Estás bien, Bianca? –me preguntó Jessica cuando salimos de Francés al terminar la primera hora–. Estás… esto… rara.

Admito que mis habilidades de espía dejan mucho que desear, pero sabía que Wesley iba a pasar por delante del aula de camino a su siguiente clase, y no quería arriesgarme a tener un incómodo encuentro poscoito en el pasillo. Atisbé con inquietud por el borde de la puerta, examinando la multitud en busca de aquel inconfundible pelo castaño. Pero, si Jessica había notado que ocurría algo, es que estaba disimulando fatal.

–No pasa nada –le mentí mientras salía al pasillo. Miré a ambos lados, como si fuera una niña cruzando una carretera muy transitada, y me alivió no verlo por ninguna parte–. Estoy bien.

–Vale –contestó sin sospechar nada–. Deben de ser imaginaciones mías.

–Seguramente.

Jessica se tiró de un mechón de pelo rubio que se le había soltado de la coleta.

–¡Ay, Bianca, se me había olvidado contártelo! ¡Estoy tan emocionada!

–Déjame adivinar –bromeé–. Tiene algo que ver con Harrison Carlyle, ¿verdad? ¿Qué ha sido esta vez? ¿Te preguntó dónde te compraste esos vaqueros ceñidos tan monos? ¿O qué acondicionador usas para tener el pelo tan brillante?

–¡No! –se rió Jessica–. No… En realidad, se trata de mi hermano. Va a venir de visita y se quedará toda la semana. Debería llegar a Hamilton al mediodía. Vendrá a recogerme al terminar las clases. Estoy deseando verlo. Hace como dos años y medio que se fue a la universidad y... Eh, Bianca, ¿seguro que estás bien?

Me quedé paralizada en medio del pasillo. Pude sentir cómo iba perdiendo el color de la cara, y las manos se me pusieron frías y empezaron a temblarme. Comencé a sentir náuseas, pero dije la misma mentira de siempre:

–Estoy bien. –Obligué a mis pies a ponerse en marcha de nuevo–. Es que... eh... me ha parecido que se me había olvidado algo. No pasa nada. Bueno, ¿qué me decías?

Jessica asintió con la cabeza.

–¡Dios, me hace tanta ilusión ver a Jake! No puedo creer que vaya a decir esto, pero lo he echado muchísimo de menos. Estará bien pasar unos días con él. Ah, y creo que Tiffany viene con él. ¿Te había dicho que acaban de prometerse?

–Pues no. Es genial... Oye, Jessica, tengo que irme a clase.

–Ah... vale. Bueno, te veo en Inglés.

Yo ya estaba a mitad de pasillo antes de que Jessica terminara de hablar. Me abrí paso entre la estampida de alumnos, sin oír apenas sus protestas cuando los pisaba o los golpeaba con la mochila. Los sonidos que me rodeaban fueron desvaneciéndose a medida que los recuerdos indeseados me inundaban la mente. Era como si las palabras de Jessica hubieran roto el dique que los había contenido durante tanto tiempo.

–Así que tú eres Bianca, la zorra de primero que se está tirando a mi novio.

–¿Tu novio? Yo no...

–Ni se te ocurra acercarte a Jake.

Me puse colorada mientras me invadían los recuerdos. Caminaba tan rápido que casi iba corriendo rumbo a clase de Política. Como si pudiera escapar de mis pensamientos. Como si no me persiguieran sin descanso. Pero Jake Gaither estaría en Hamilton una semana. Jake Gaither se había prometido con Tiffany. Jake Gaither... el chico que me había roto el corazón.

Entré a toda prisa en la clase justo cuando sonó el timbre. Sabía que el señor Chaucer estaría fulminándome con la mirada, pero no me molesté en mirar. Me senté al fondo de la clase, intentando concentrarme desesperadamente en otra cosa. Pero ni siquiera el ingenioso comentario de Toby Tucker sobre el poder legislativo ni la parte posterior de su adorable peinado pasado de moda consiguieron apartar mis pensamientos de Jake y su futura esposa.

Prácticamente no oí ni una palabra de lo que el señor Chaucer dijo en toda la hora y, cuando sonó el timbre, mis apuntes (que deberían estar llenos de detalles de la clase) consistían únicamente en dos frases cortas y apenas legibles. Dios, si seguía así, iba a suspender esa asignatura.

¡Cuánto drama! Si fuera una rica esnob de Manhattan, podría haber sido un personaje de *Gossip Girl* (no es que yo viera esa birria de serie, solo algún que otro capítulo... o eso pensaban mis amigas). ¿Por qué mi vida no podía ser como una comedia de la tele? Aunque, bien pensado, hasta los personajes de *Friends* tenían problemas.

Me dirigí a la cafetería arrastrando los pies y vi que Casey y Jessica estaban esperándome en nuestra mesa. Como siempre, Angela, Jeanine y su prima Vikki se sentaron con nosotras. Angela estaban enseñándole a todo el mundo sus nuevas zapatillas de marca, por lo que nadie se percató de mi mal humor cuando me dejé caer en la silla.

—Qué chulas —comentó Casey con una sonrisa—. ¿Quién te las ha comprado?

—Mi padre —contestó Angela acariciando la punta de su zapatilla morada—. Mi madre y él están compitiendo por mi cariño. Al principio era un fastidio, pero he decidido dejarme llevar y disfrutar. —Cruzó las piernas y se apartó el pelo oscuro—. Espero que lo siguiente sea un Prada.

Todo el mundo se rió.

—Yo no conseguí nada guay cuando mis padres se divorciaron —dijo Casey—. Supongo que a mi padre le daba igual a quién quisiera más.

—Eso es muy triste, Case —murmuró Jessica.

—En realidad, no. —Casey se encogió de hombros y empezó a rascarse el esmalte de uñas anaranjado—. Mi padre es un capullo. Me encantó que mamá lo echara de casa. Ahora llora mucho menos, y cuando mamá es más feliz, el mundo es más feliz. Por supuesto que ya no tenemos tanto dinero, pero tampoco es que papá se gastara el sueldo en nosotras. Se ofreció a comprarle a mamá un coche que ella no quiso, pero hasta ahí le llegó la generosidad.

—Los divorcios son deprimentes —suspiró Jessica—. A mí me daría algo si mis padres se separasen. ¿No opinas igual, Bianca?

Sentí que me ponía colorada, pero Casey había cambiado de tema, así que hice como si no hubiera oído la pregunta de Jessica.

—Oye, Vikki, ¿qué pasó la noche del baile? No llegaste a decirnos cómo salió todo.

Jeanine soltó una risita cómplice.

—¿Todavía no se lo has contado, Vikki?

Esta puso los ojos en blanco y se enrolló un rizo rubio rojizo alrededor de un dedo con la uña perfectamente pintada.

–Ay, Dios mío. Bueno, pues resulta que Clint ya no me habla y Ross...

Su voz pasó a un segundo plano y me distraje. Por mucho que deseara dejar de pensar en Jake, no conseguí interesarme por los problemas de chicos de Vikki. Cualquier otro día, la historia me habría resultado ligeramente entretenida, como si su vida fuera el argumento de una telenovela, pero en aquel momento sus dramas me parecían vagos y sin importancia. Un tema tremendamente insulso, complaciente y vacío.

No pude evitar sentirme un poco culpable por pensar así, pues eso significaba que yo era tan egocéntrica como ella. Intenté prestar atención, sin demasiado entusiasmo, a las penas de Vikki McPhee.

Pero entonces algo que dijo captó toda mi atención.

–... pero después me enrollé con Wesley un rato.

–¿Con Wesley? –pregunté.

Vikki me dedicó una sonrisa radiante, orgullosa de lo que ella veía como una hazaña. ¿Acaso no sabía que más de dos tercios de las chicas del instituto habían logrado lo mismo? Incluyéndome a mí... aunque ella no sabía nada de eso, claro.

–Sí –asintió–. Después de la pelea con Clint, acabé en el aparcamiento con Wesley. Nos dimos el lote un rato en su coche, pero me llamó mi madre y tuve que volver a casa antes de que pudiéramos hacer nada. Qué rabia, ¿no?

–Sí, claro.

Recorrí la cafetería con la mirada y busqué unos segundos hasta localizar una nuca con pelo castaño rizado que se erguía unos cuantos centímetros por encima de las cabezas que la rodeaban. Wesley estaba sentado con un grupo de amigos (chicas en su mayoría, por supuesto) a una larga mesa rectangular al otro extremo de la sala. Llevaba una camiseta negra ceñida que, aunque no era demasiado apropiada para las gélidas temperaturas de principios de febrero, resaltaba sus perfectos brazos musculosos. Unos brazos que me habían rodeado... que me habían ayudado a deshacerme del estrés...

—¿Os había dicho que mi hermano va a venir de visita? —preguntó Jessica—. Su prometida y él van a quedarse toda la semana.

Casey me dirigió de inmediato una mirada de preocupación y abrió los ojos como platos cuando vio que me había puesto en pie.

—¿Adónde vas, B.?

Todas mis compañeras de mesa me miraron e intenté sonar convincente.

—Acabo de acordarme de algo —contesté—. Tengo que ir a hablar con Wesley sobre nuestro trabajo de Inglés.

A la mierda con evitarlo. Tenía una idea mejor y más útil.

—¿No lo habíais terminado el sábado? —me preguntó Jessica.

—Lo empezamos, pero no lo terminamos.

—Porque estabais demasiado ocupados enrollándoos —bromeó Casey guiñándome un ojo.

«No parezcas culpable. No parezcas culpable.»

—¿Enrollándoos? —Vikki me miró enarcando una ceja.

—¿No te habías enterado? —le siguió la corriente Jessica, que me dedicó una sonrisa afable—. Bianca está locamente enamorada de Wesley.

Simulé una arcada y todo el mundo se rió.

—Ya, claro —contesté, asegurándome de que mi voz estuviera cargada de irritación y repugnancia—. No soporto a ese tío. Dios, estoy perdiéndole el respeto a la señora Perkins por obligarme a trabajar con él.

—Yo en tu lugar estaría entusiasmada —opinó Vikki con cierto resentimiento en la voz.

Jeanine y Angela asintieron con la cabeza indicando que opinaban lo mismo.

—En fin. —Estaba poniéndome un poco nerviosa—. Tengo que hablar con él sobre cuándo vamos a acabarlo. Os veo luego, ¿vale?

—Vale —contestó Jessica, y se despidió de mí agitando la mano con alegría.

Crucé a toda prisa la cafetería abarrotada y no aflojé el paso hasta que estuve a menos de dos metros de la mesa de Wesley, donde solo había otro chico: Harrison Carlyle. Entonces me detuve un segundo, sintiéndome algo indecisa de pronto.

Una de las chicas, una rubia flaca con unos labios como los de Angelina Jolie, parloteaba sobre sus horribles vacaciones en Miami mientras Wesley escuchaba absorto. Evidentemente intentaba convencerla de lo comprensivo que era. La indignación venció a la inseguridad y carraspeé con fuerza, captando la atención de todo el grupo.

La rubia parecía alterada y enfadada, pero yo me centré en Wesley, que me miró con indiferencia, como a cualquier otra chica. Adopté un aire despectivo y dije:

—Tengo que hablar contigo de nuestra redacción de Inglés.

—¿Es imprescindible? —preguntó Wesley con un suspiro.

–Pues sí –contesté–. Y ahora mismo. No pienso suspender ese estúpido trabajo porque tú seas un vago.

Wesley puso los ojos en blanco y se levantó.

–Lo siento, señoritas –les dijo a las consternadas chicas–. Nos vemos mañana. ¿Me guardaréis un sitio?

–Claro que sí –le aseguró con voz aguda una pelirroja bajita.

Mientras nos alejábamos, oí cómo la de los labios grandes decía entre dientes:

–¡Menuda zorra!

Cuando salimos al pasillo, Wesley me preguntó:

–¿Qué pasa, Duffy? Te envié el trabajo por correo electrónico anoche, como exigiste. ¿Se puede saber adónde vamos? ¿A la biblioteca?

–Cierra el pico y ven conmigo.

Lo guié por el pasillo más allá de las aulas de Inglés. No me preguntéis de dónde saqué la idea porque no lo tengo claro, pero sabía exactamente adónde íbamos, y estaba segura de que eso podría convertirme oficialmente en un putón. Sin embargo, cuando llegamos a la puerta del armario del conserje (que nunca se usaba), no sentí vergüenza... al menos por el momento.

Agarré el pomo y vi cómo Wesley entrecerraba los ojos con recelo. Abrí la puerta de un tirón, comprobé que no nos veía nadie y le indiqué que entrara con un gesto. Wesley entró en el diminuto armario y yo lo seguí para después cerrar la puerta sigilosamente detrás de nosotros.

–Algo me dice que esto no tiene nada que ver con *La letra escarlata* –comentó, e incluso en la oscuridad supe que estaba sonriendo.

–Cállate.

Esta vez nos encontramos a medio camino. Me hundió las manos en el pelo y las mías se aferraron a sus antebrazos. Nos besamos con violencia mientras mi espalda chocaba contra la pared. Oí caer una fregona, o tal vez una escoba, pero mi cerebro apenas registró el sonido cuando una de las manos de Wesley se trasladó a mi cadera y me pegó más a él. Era tan alto comparado conmigo que tuve que echar la cabeza hacia atrás casi del todo para besarlo. Sus labios se apretaron con fuerza contra los míos y dejé que mis manos exploraran sus bíceps. El olor de su colonia, y no el aire viciado del armario, me invadió los sentidos.

Forcejeamos en la penumbra un rato hasta que sentí que su mano intentaba levantarme una y otra vez el dobladillo de la camiseta. Interrumpí el beso jadeando y le agarré la muñeca.

—No... Ahora no.

—Entonces, ¿cuándo? —me preguntó al oído, sosteniéndome todavía contra la pared. Ni siquiera parecía faltarle el aliento, mientras que yo respiraba con dificultad.

—Después.

—Sé más específica.

Me retorcí para escapar de sus brazos y me dirigí a la puerta, aunque casi tropiezo por el camino con lo que parecía un cubo. Me arreglé el pelo con una mano y empujé la puerta.

—Esta noche. Iré a tu casa a eso de las siete. ¿Vale?

No obstante, antes de que Wesley tuviera ocasión de contestar, salí a hurtadillas del armario y bajé rápidamente por el pasillo, esperando que nadie me hubiera visto huir.

10

Me pareció que el timbre nunca anunciaría el final de las clases. La de Cálculo me resultó terriblemente larga y aburrida y la de Inglés, angustiosa. Me sorprendí mirando hacia el otro extremo del aula (en dirección a Wesley) varias veces, anhelando volver a sentir el entumecimiento mental que me proporcionaban sus brazos, manos y labios.

Rogué que mis amigas no se hubieran dado cuenta. Jessica, por supuesto, me creería si le aseguraba que eran imaginaciones suyas; Casey, por el contrario… Bueno, con un poco de suerte Casey estaría demasiado absorta en la clase de gramática de la señora Perkins (sí, sí, cómo no) para mirarme. Probablemente me interrogaría durante horas y acabaría adivinando todo lo que había pasado, por mucho que yo lo negara. Tenía que largarme de allí de una vez antes de que se descubriera mi secreto.

Sin embargo, cuando por fin sonó el timbre, no me apresuré a salir.

Jessica se dirigió a la cafetería dando saltitos con la rubia coleta rebotando tras ella.

–¡Estoy deseando verlo!

–Lo entendemos, Jess –dijo Casey–. Quieres mucho a tu hermano mayor. Es muy tierno, de verdad, pero ya has dicho eso como unas… veinte veces. Puede que treinta.

Jessica se sonrojó.

–Bueno, es que estoy muy emocionada.

–Ya lo sé –contestó Casey con una sonrisa–. Y estoy segura de que él también se alegrará de verte, pero quizá deberías calmarte un poquito. –Se detuvo en medio de la cafetería y miró por encima del hombro–. ¿Vienes, B.?

–No –respondí mientras me agachaba y me toqueteaba los cordones–. Tengo que... atarme los zapatos. Adelantaos vosotras. No retraséis el encuentro por mí.

Casey me dirigió una mirada de comprensión antes de asentir con la cabeza y empujar a Jessica para que siguiera caminando. Además, empezó una nueva conversación para distraer a Jessica de mi patética excusa.

–Bueno, háblame de la prometida. ¿Cómo es? ¿Es guapa? ¿Tiene menos cerebro que un mosquito? Cuéntame todos los detalles.

Esperé en la cafetería unos veinte minutos, pues no quería arriesgarme a encontrármelo en el aparcamiento. Era curioso que menos de siete horas antes hubiera estado evitando a un chico completamente diferente... al que ahora me moría por ver. Por muy enfermizo y retorcido que fuera, estaba deseando regresar al cuarto de Wesley. A mi refugio privado. A mi mundo de evasión. Pero primero tenía que esperar a que Jake Gaither se marchara del aparcamiento.

Cuando estuve segura de que se había ido, salí del instituto envolviéndome en el abrigo. El viento de febrero me azotó la cara mientras atravesaba el aparcamiento vacío, y divisar mi coche sin calefacción no me consoló. Me senté en el asiento del conductor, temblando de manera incontrolable, y arranqué. Me pareció que tardé horas en llegar a casa a pesar de que el Instituto Hamilton estaba solo a unos seis kilómetros de distancia.

Había empezado a plantearme si podría ir a casa de Wesley unas horas antes de lo previsto cuando aparqué en la entrada de mi casa y me acordé de mi padre. Genial. Su coche estaba allí, pero todavía no debería haber vuelto del trabajo.

—¡Mierda! —exclamé. Golpeé el volante y me sobresalté como una idiota cuando sonó el claxon—. ¡Mierda! ¡Mierda! La culpa se apoderó de mí. ¿Cómo podía haberme olvidado de papá? ¿De mi pobre y solitario padre, que se había atrincherado en su cuarto? Salí del coche y subí penosamente por la acera, preocupada de que siguiera en su habitación. Si era así, ¿tendría que derribar la puerta? Y luego ¿qué? ¿Gritarle? ¿Llorar con él? ¿Decirle que mamá no lo merecía? ¿Cuál era la respuesta correcta?

Pero papá estaba sentado en el sofá cuando entré, con un cuenco de palomitas en el regazo. Vacilé en la entrada, sin saber muy bien qué estaba pasando. Parecía... normal. No daba la impresión de que hubiera estado llorando, bebiendo ni nada por el estilo. Simplemente parecía mi padre, con sus gafas de montura gruesa y desordenado pelo caoba. Tenía el mismo aspecto que cualquier otro día.

—Hola, abejita —dijo levantando la mirada—. ¿Quieres palomitas? Están poniendo una película de Clint Eastwood.

—Esto... no, gracias.

Recorrí la habitación con la mirada. No había cristales rotos ni botellas de cerveza, como si hoy no hubiera estado bebiendo. Me pregunté si eso sería todo. Si la recaída había terminado. ¿Las recaídas eran así? No tenía ni idea, pero no pude evitar sentir cierta cautela.

—¿Estás bien, papá?

—Ah, sí, perfectamente —contestó—. Esta mañana me

he despertado tarde, por lo que he llamado al trabajo y les he dicho que estaba enfermo. No me he cogido ningún día de vacaciones, así que no pasa nada.

Eché un vistazo hacia la cocina. El sobre de papel manila seguía en la mesa. Intacto. Papá debió de seguir mi mirada, o imaginárselo, porque comentó encogiéndose de hombros:

—¡Ah, esos estúpidos papeles! Me dieron un buen susto, ¿sabes? Pero al final pensé en ello y comprendí que solo se trata de un error. El abogado de tu madre debe de haberse enterado de que lleva fuera un poco más de lo normal y se precipitó.

—¿Has hablado con ella?

—No —admitió papá—. Pero estoy seguro de que ese es el problema. Tiene que ser eso. No hay nada de lo que preocuparse, abejita. ¿Qué tal el día?

—Bien.

Ambos estábamos mintiendo, pero yo sí sabía que mis palabras no eran ciertas. Él, por el contrario, parecía realmente convencido. ¿Cómo podía recordarle que la firma de mamá estaba en los papeles? ¿Cómo podía devolverlo a la realidad? Con eso solo conseguiría que volviera a encerrarse en su cuarto, o se buscara una botella, y arruinar ese momento de paz ficticia.

Además, no quería ser yo la que se cargara la sobriedad de mi padre.

Era el shock, decidí mientras subía las escaleras rumbo a mi habitación. Simplemente estaba en estado de shock. Pero el periodo de negación no duraría mucho. Al final, acabaría despertando. Solo esperaba que lo hiciera de buen talante.

Me tumbé en la cama con el libro de cálculo delante intentando hacer unos deberes que en realidad no entendía. Mi mirada volvía una y otra vez al despertador situado sobre la mesita de noche. 17:28... 17:31... 17:37... Transcurrieron los minutos y los problemas de mates se transformaron en borrosos diseños de símbolos indescifrables parecidos a runas antiguas. Al final, cerré el libro y reconocí la derrota.

Aquello era enfermizo. No debería pensar en Wesley. No debería besar a Wesley. No debería acostarme con Wesley. Por Dios, si hacía apenas una semana hablar con él me parecía una tortura. Sin embargo, cuanto más giraba mi mundo, más me atraía. No me malinterpretéis, todavía lo odiaba con todo mi ser. Su arrogancia me daba ganas de gritar, pero su habilidad para liberarme de mis problemas (aunque solo fuera de manera temporal) resultaba adictiva. Wesley era mi droga. Enfermizo, sin duda.

Pero aún más enfermiza fue la forma en la que le mentí a Casey cuando me llamó a las cinco y media.

—Oye, ¿estás bien? Dios mío, no puedo creer que Jake haya vuelto. ¿Estás flipando? ¿Necesitas que vaya a tu casa?

—No. —Estaba nerviosa y seguía mirando el reloj cada pocos minutos—. Estoy bien.

—No te lo guardes dentro, B. —insistió.

—No me guardo nada. Estoy bien.

—Voy para allá —decidió.

—No —repuse rápidamente—. No vengas. No hay ningún motivo.

Se produjo un momento de silencio y, cuando Casey volvió a hablar, sonó algo dolida.

—Vale... pero, aunque no hablemos de Jake, podríamos quedar o hacer algo.

—No puedo. Voy a... —Eran las cinco y treinta y tres. Aún quedaba una hora antes de que pudiera marcharme a casa de Wesley. Pero no podía decirle eso a Casey. Nunca lo entendería—. Creo que hoy voy a acostarme temprano.

—¿Qué?

—Anoche me quedé levantada hasta muy tarde viendo... una peli. Estoy agotada.

Casey sabía que estaba mintiendo (después de todo, era bastante evidente), pero no me hizo preguntas. En cambio, solo dijo:

—Bueno... vale, supongo. ¿Tal vez mañana? ¿O este fin de semana? Tienes que hablar de ello, B., en serio; aunque creas que no lo necesitas. Solo porque sea el hermano de Jessica...

Al menos pensaba que estaba mintiéndole para ocultar mis problemas con Jake. Prefería que pensara eso antes que la verdad. Dios, era una amiga de mierda. Pero Wesley era algo sobre lo que tenía que mentir. A todo el mundo.

Cuando por fin fueron las seis y cuarenta y cinco, cogí el abrigo y bajé corriendo las escaleras con las llaves del coche ya en la mano. Encontré a papá en la cocina, calentando unas minipizzas en el microondas. Me sonrió mientras me ponía los guantes.

—Oye, papá, vuelvo en un rato.

—¿Adónde vas, abejita?

Vaya, buena pregunta. No había previsto ese problema. Pero cuando todo lo demás falla, es mejor decir la verdad... o, al menos, una parte.

—Voy a casa de Wesley Rush. Estamos haciendo un trabajo para la clase de Inglés. Pero no volveré tarde.

«Ay, por favor –pensé–. Por favor, que no me ponga colorada.»

–Vale –aceptó papá–. Diviértete con Wesley.

Salí a toda prisa de la cocina antes de que me ardiera la cara.

–¡Adiós, papá!

Prácticamente corrí hasta el coche y me esforcé muchísimo para no exceder el límite de velocidad cuando entré en la autopista. No iban a ponerme mi primera multa por culpa de Wesley Rush. Tenía que fijar el límite en alguna parte.

Aunque también era cierto que ya había cruzado varios límites.

Pero ¿se podía saber qué estaba haciendo? Siempre me había burlado de las chicas con las que se acostaba Wesley y, sin embargo, allí estaba yo, convertida en una de ellas. Me dije que había una diferencia. Aquellas chicas pensaban que tenían alguna posibilidad con Wesley; les parecía sexy y atractivo (y supongo que lo era, de una forma retorcida). Creían que era un buen chico al que podrían domar, pero yo sabía que era un imbécil. Yo solo quería su cuerpo, sin ataduras ni sentimientos. Solo quería el subidón.

¿Eso me convertía en una yonqui y una zorra?

Detuve el coche delante de la gigantesca casa y decidí que mis actos eran disculpables. La gente con cáncer fuma maría con fines medicinales. Bueno, pues mi situación era muy similar. Si no usaba a Wesley para distraerme, me volvería loca; así que en realidad estaba salvándome a mí misma de la autodestrucción y estaba ahorrándome una pasta en terapia.

Subí por la acera y llamé al timbre. Un segundo después, la cerradura chasqueó y el pomo giró. En cuanto la cara sonriente de Wesley apareció en la entrada, supe que, a pesar de mi razonamiento, todo eso estaba mal. Era repugnante, enfermizo y malsano.

Y absolutamente estimulante.

11

Estaba completamente despeinada después del revolcón. Me miré en el enorme espejo e intenté controlar mis desordenados rizos mientras Wesley se vestía detrás de mí. Definitivamente, nunca me había imaginado a mí misma en ese tipo de situación.

–No tengo ningún inconveniente en que me utilices –comentó mientras se ponía la ajustada camiseta negra. El aspecto de su pelo también era bastante incriminatorio–. Pero me gustaría saber para qué.

–Para distraerme.

–Eso ya lo suponía.

El colchón crujió cuando se dejó caer de espaldas y colocó los brazos detrás de la cabeza.

–¿De qué se supone que estoy distrayéndote? Si lo supiera, es posible que pudiera hacer mejor mi trabajo.

–Estás haciéndolo perfectamente. –Me pasé los dedos por el pelo, pero ya no podía hacer más. Me aparté del espejo con un suspiro y me volví hacia Wesley. Para mi sorpresa, estaba observándome con auténtico interés–. ¿De verdad te importa?

–Claro que sí. –Se sentó y dio una palmadita en el colchón a su lado–. Este cuerpo asombroso es algo más que unos abdominales impresionantes. También tengo oídos, y resulta que funcionan a la perfección.

Puse los ojos en blanco y me senté a su lado, con los pies sobre la cama.

–Vale –acepté mientras me rodeaba las rodillas con los brazos–. No es que tenga importancia, pero esta mañana me he enterado de que mi ex novio ha vuelto al pueblo durante una semana. Ya sé que es una estupidez, pero me ha entrado el pánico. Es que la última vez que nos vimos… no fue muy bien. Por eso te metí en ese armario en el instituto.

–¿Qué pasó?

–Tú también estabas allí. No me hagas revivirlo.

–Me refiero con tu ex –repuso Wesley–. Tengo curiosidad. ¿Qué puede ser tan grave para hacer que una persona tan llena de odio como tú corra a mis brazos musculosos? ¿O es él el responsable de esa capa de hielo que te rodea el corazón?

Sus palabras sonaron burlonas, pero su sonrisa parecía sincera; no como la mueca torcida que empleaba cuando iba de listillo.

–Empezamos a salir durante mi primer año de instituto –comencé de mala gana–. Él estaba en el último curso, y yo sabía que mis padres nunca me dejarían verlo si se enteraban de lo mayor que era. Así que se lo ocultamos a todo el mundo. Nunca me presentaba a sus amigos ni me llevaba a ningún sitio ni hablaba conmigo en el instituto, y yo suponía que era para protegernos. Pero estaba totalmente equivocada, por supuesto.

Sentí un hormigueo en la piel mientras Wesley me observaba fijamente. Aquello me resultó molesto. Seguramente estaba mirándome con pena. «Pobre Duffy.» Se me tensaron los hombros y clavé la mirada en mis calcetines, negándome a ver cómo reaccionaba a mi historia. Una historia que solo le había contado a Casey.

—Lo vi unas cuantas veces con una chica en el instituto —continué—. Pero, cada vez que le preguntaba por ella, me decía que solo eran amigos y que no me preocupara. Y no me preocupé. Después de todo, me dijo que me quería, y no tenía ningún motivo para dudar de él, ¿no?

Wesley no respondió.

—Y entonces ella se enteró. La chica con la que lo había visto me buscó un día en el instituto y me dijo que dejara de tirarme a su novio. Pensé que se trataba de un error, por lo que se lo pregunté a él...

—No era un error —adivinó Wesley.

—Pues no. Se llamaba Tiffany y llevaban juntos desde séptimo de primaria. Yo era la otra mujer... o chica, técnicamente.

Levanté la mirada despacio y vi que Wesley estaba haciendo una mueca.

—Menudo gilipollas —dijo.

—Mira quién habla. Tú eres el mayor mujeriego del mundo.

—Cierto —admitió—. Pero yo no hago promesas. Él te dijo que te quería, te dio su palabra. Yo nunca haría algo así. Una chica puede creer lo que le dé la gana, pero yo nunca digo nada que no sienta. Solo un auténtico gilipollas haría lo que él hizo.

—En fin, que esta semana ha vuelto al pueblo con Tiffany... su prometida.

Wesley dejó escapar un silbido bajo.

—Vaya, qué incómodo.

—No me digas...

Se produjo una larga pausa. Por fin, Wesley me preguntó:

–Bueno, y ¿de quién se trata? ¿Lo conozco?

–No lo sé. Tal vez. Se llama Jake Gaither.

–Jake Gaither. –Wesley contrajo la cara en una expresión de horror–. ¿Jake Gaither? ¿Te refieres a ese tío raro? ¿El friki con acné y una nariz enorme? –Abrió los ojos como platos, asombrado–. ¿Cómo diablos consiguió a dos chicas? ¿Por qué iba a querer nadie salir con él? ¿Por qué ibas a querer tú salir con él? Era un adefesio.

Fruncí el ceño.

–Vaya, gracias –mascullé–. ¿No se te ha ocurrido que tal vez eso sea lo mejor a lo que puede aspirar una Duff?

La expresión de Wesley se ensombreció. Apartó la mirada y examinó nuestros reflejos en el espejo situado al otro extremo de la habitación. Después de unos momentos de incómodo silencio, dijo:

–Tampoco estás tan mal, Bianca. Tienes potencial. Tal vez si te juntaras con otras amigas…

–Déjalo –repuse–. Mira, ya me he acostado contigo dos veces. No tienes que adularme. Además, quiero demasiado a mis amigas como para cambiarlas para parecer más guapa.

–¿En serio?

–Sí, en serio. Casey ha sido mi mejor amiga desde que tengo uso de razón y es la persona más leal que he conocido. Y Jessica… Bueno, ella no sabe lo que pasó entre su hermano y yo. No éramos amigas entonces. En realidad, yo no quería conocerla después de romper con Jake, pero Casey me dijo que me haría bien, y tenía razón… como siempre. Jessica puede ser un poco atolondrada, pero es la persona más dulce e inocente que conozco. Nunca dejaría de lado a ninguna de ellas solo para verme mejor. Eso me convertiría en una auténtica imbécil.

—En ese caso, tienen suerte de tenerte como amiga.

—Ya te he dicho que no me adules...

—Lo digo en serio. —Frunció el ceño mientras miraba hacia el espejo—. Yo solo tengo un amigo... un amigo de verdad. Harrison es el único chico al que no le molesta salir conmigo, y eso porque no intentamos atraer a la misma audiencia, ya me entiendes. —En sus labios se dibujó una pequeña sonrisa cuando se volvió hacia mí—. La mayoría de la gente haría cualquier cosa para evitar ser la Duff.

—Bueno, supongo que no soy como la mayoría.

Wesley me miró con expresión seria.

—¿Esa palabra te molesta? —me preguntó.

—No.

Supe que era mentira en cuanto lo dije. Sí que me molestaba, pero nunca lo admitiría. Y menos aún ante él.

Todo mi cuerpo pareció ser consciente de que había vuelto a posar su mirada en mí. Antes de que Wesley pudiera decir nada más, me levanté y me dirigí a la puerta del cuarto.

—Oye —dije mientras giraba el pomo—. Tengo que irme, pero he estado pensando que podríamos volver a hacerlo. Como si tuviéramos un lío o algo así. Algo puramente físico y sin ataduras. ¿Qué te parece?

—No puedes vivir sin mí, ¿eh? —me dijo Wesley con una sonrisita de suficiencia, tumbándose de nuevo de espaldas—. Me parece bien; pero, si soy tan fantástico, tendrías que hacer correr la voz entre tus amigas. Dices que las quieres, así que deberías permitirles experimentar el mismo placer alucinante... puede que al mismo tiempo. Es lo justo.

Lo fulminé con la mirada.

–Justo cuando empiezo a pensar que tal vez tengas alma, dices una parida como esa. –La puerta se estrelló contra la pared cuando la abrí de golpe. Empecé a bajar las escaleras con paso airado y grité–: ¡No hace falta que me acompañes a la puerta!

–Hasta pronto, Duffy.

Menudo capullo.

Mi padre vivía en las nubes. Supongo que debía de tener el radar paterno averiado, porque apenas me hizo preguntas cuando salí de casa para ir a ver a Wesley una y otra vez esa semana. Cualquier padre en su sano juicio se habría puesto sobre aviso cuando su hija usaba la excusa de «hacer un trabajo» dos veces seguidas, pero ¿cuatro veces en una semana? ¿De verdad pensaba que me costaba tanto escribir una estúpida redacción? ¿No le preocupaba que estuviera haciendo exactamente lo que estaba haciendo?

Pues al parecer no. Cada vez que salía por la puerta, simplemente me decía:

–Pásalo bien, abejita.

Aunque creo que el despiste debía de ser contagioso. Ni siquiera Casey (que no me había quitado la vista de encima desde que Jake había llegado al pueblo) se había dado cuenta de que había algo entre Wesley y yo, y seguía con sus habituales bromas sobre que yo suspiraba en secreto por él. Yo hacía todo lo posible para ocultar las pruebas, por supuesto; pero más de una vez estuve segura de que me había pillado.

Como el viernes por la tarde, cuando estábamos en mi cuarto arreglándonos para ir al Nest. Bueno, en realidad, Casey era la que estaba arreglándose; yo simplemente estaba sentada en la cama viéndola posar delante del espejo. Habíamos hecho eso un millón de veces; pero, como Jessica seguía sin despegarse de su hermano, el cuarto parecía extrañamente vacío, casi lúgubre.

Jessica no se parecía en nada a nosotras. Me refiero a que Casey y yo éramos polos opuestos, pero Jessica era de un planeta completamente diferente. Era de esas personas que siempre están felices y ven el vaso medio lleno. Nos mantenía centradas con esa enorme sonrisa y cándida inocencia que siempre nos asombraba. Mientras que algunas veces parecía que Case y yo hubiéramos vivido demasiado, Jessica era, en muchos sentidos, aún una niña. Una criatura virginal que se maravillaba por todo. Ella era nuestro sol, y Casey y yo estábamos en la oscuridad sin ella.

Estaba preguntándome cuántos días más se quedaría Jake en el pueblo, cuando Casey se volvió hacia mí. Al parecer, había decidido que le gustaba cómo le quedaban los ajustados vaqueros morados (de lo que me alegré, porque a mí me parecían espantosos).

–¿Sabes, B.? Estás llevando todo este asunto de Jake mucho mejor de lo que esperaba –me dijo.

–Gracias… creo.

–La verdad es que pensé que fliparías cuando Jake volviera a Hamilton con su prometida. Esperaba lágrimas, llamadas a medianoche y algún que otro ataque de nervios. Pero, en cambio, estás actuando con total normalidad… bueno, con toda la normalidad de la que es capaz Bianca Piper.

—Retiro las gracias.

—Ahora en serio. —Cruzó el cuarto y se sentó a mi lado—. ¿Lo llevas bien? Apenas te has quejado, y eso me preocupa porque tú te quejas por todo.

—Eso no es verdad —protesté.

—Lo que tú digas.

Puse los ojos en blanco y dije:

—Para tu información, he encontrado una manera de sacármelo de la cabeza. Pero vas a fastidiarlo si no dejas de hablar del tema, Casey. —Le di un golpecito con el codo con actitud juguetona—. Estoy empezando a pensar que quieres que llore.

—Al menos así sabría que no estás guardándotelo dentro.

—Casey… —gemí.

—Lo digo en serio, B. Ese tío te arruinó el primer año de instituto. Después de lo que hizo, te pasabas el día histérica, llorando y gimoteando, y sé que es duro tener que ocultárselo a Jess, pero necesitas lidiar con ello de algún modo. No quiero que vuelvas a pasar por ese infierno.

—Casey, estoy bien —le aseguré—. De verdad que he encontrado una manera de liberar el estrés, ¿vale?

—¿Cómo?

«Ay, mierda.»

—¿Cómo qué?

Casey me miró con el ceño fruncido.

—¡Por Dios! ¡Que cómo liberas el estrés! ¿Qué estás haciendo?

—Esto… cosas.

—¿Estás haciendo ejercicio? —me preguntó—. Que no te dé vergüenza. Mi madre hace cardio cuando está cabreada.

Dice que la ayuda a canalizar la energía negativa… sea lo que sea lo que signifique eso. Bueno, ¿eso es lo que estás haciendo? ¿Ejercicio?

–Eh… algo por el estilo.

Maldita sea. Me había puesto como un tomate. Aparté la cabeza y me dediqué a examinarme el vello del brazo.

–¿Cardio?

–Ajá.

Pero, milagrosamente, no pareció darse cuenta de que me ardía la cara.

–Qué guay. ¿Sabes qué? Estos pantalones son una talla más grande que la que suelo usar. Podríamos hacer ejercicio juntas. Sería divertido.

–No creo que sea buena idea. –Me levanté antes de que mi amiga tuviera ocasión de discutir o ver que mis mejillas estaban coloradas, y dije–: Tengo que lavarme los dientes otra vez. Luego podemos irnos, ¿vale?

Acto seguido, salí pitando del cuarto.

Cuando regresé unos minutos después, me vi obligada a mentir una vez más.

–¿Quieres quedarte a dormir en mi casa esta noche? –me preguntó Casey mientras se ahuecaba el pelo corto delante del espejo–. Mi madre va a ir a la despedida de soltera de una compañera de trabajo; estaremos nosotras solas… y unas cuantas pelis de James McAvoy, si quieres. A Jess le dará pena perdérselo, pero…

–Esta noche no puedo.

–¿Por qué? –Parecía dolida.

La verdad era que tenía planeado ver a Wesley a eso de las once de la noche, aunque evidentemente no podía ser sincera. Pero tampoco podía mentir. Después de todo, mis mentiras se veían a la legua. Así que hice lo que cada vez se me daba mejor estos días: conté una verdad a medias.

–Tengo planes.

–¿Después de salir del Nest?

–Sí. Lo siento.

Casey se apartó del espejo y se quedó mirándome un rato. Por fin, dijo:

–Últimamente has estado muy ocupada, ¿sabes? Ya nunca quieres hacer nada conmigo.

–Voy a salir contigo esta noche, ¿no? –repuse.

–Sí, pero… no sé. –Se volvió y examinó su reflejo por última vez–. Da igual. Vámonos.

Dios, odiaba mentirle a Casey. Sobre todo porque era evidente que ella sabía que pasaba algo, aunque todavía no hubiera averiguado el qué. Pero yo iba a hacer todo lo que estuviera en mi mano para mantener en secreto mi relación con Wesley.

Él, por supuesto, se comportaba como si nada. En público, nos tratábamos con la misma indiferencia sarcástica de siempre. Yo lo insultaba, le lanzaba miradas asesinas y maldecía entre dientes, mientras él se portaba como un cerdo (algo para lo que no necesitaba fingir). Nadie se habría imaginado que actuábamos de manera diferente a puerta cerrada. Nadie se habría dado cuenta de que yo contaba los minutos que faltaban para encontrarnos en los escalones de su porche.

Nadie salvo Joe.

–Te gusta ese chico –dijo el camarero tomándome el pelo mientras Wesley (que acababa de soportar una diatriba verbal de parte de servidora) sacaba a bailar a una

Barbie que no dejaba de soltar risitas tontas–. Y creo que tú también le gustas a él. Hay algo entre vosotros.

–Tú estás pirado –repuse, y le di un sorbo a mi Cherry Coke.

–Te lo he dicho un montón de veces y vuelvo a repetírtelo, Bianca: no sabes mentir.

–¡Yo no tocaría a ese cretino ni con un palo de tres metros! –¿Mi voz transmitía suficiente repugnancia?–. ¿De verdad piensas que soy tan idiota, Joe? Es un arrogante, y se acuesta con cualquier tía a la que pueda echarle el guante. La mayor parte del tiempo, tengo ganas de arrancarle los ojos. ¿Cómo iba a gustarme? Es un imbécil.

–Y a las chicas os encantan los imbéciles. Por eso no consigo ninguna cita. Soy demasiado bueno.

–O demasiado peludo –le sugerí. Le di el último sorbo a la Cherry Coke y empujé el vaso hacia él por la barra–. Aféitate esa barba de Moisés y puede que tengas más suerte. A las mujeres no nos gusta besar a una alfombra, ¿sabes?

–Estás intentando cambiar de tema –señaló Joe–. Eso demuestra que hay algo entre el señor Imbécil y tú.

–Cállate, Joe. Cierra el pico.

–Así que tengo razón.

–No. Es que estás sacándome de quicio.

Vale, estaba claro que tenía que encontrar una manera de evitar el Nest durante unas cuantas semanas… o, mejor aún, para siempre.

12

–Te toca, Duffy.

Wesley se apoyó en su taco de billar, con una sonrisilla de triunfo en la cara.

–Todavía no has ganado –dije, poniendo los ojos en blanco.

–Pero estoy a punto.

Lo ignoré y me concentré en una de las dos bolas con rayas que aún quedaban sobre la mesa. En ese momento, deseé que Wesley y yo hubiéramos hecho como siempre: subir directamente a su cuarto, ignorando todo lo demás. Pero esa noche, mientras subíamos por las escaleras, Wesley mencionó que tenía una mesa de billar... y empezó a jactarse de que era un genio con el taco. Por algún motivo, eso despertó mi lado competitivo. Estaba deseando darle una paliza y borrarle esa sonrisilla arrogante de la cara.

Pero ahora empezaba a arrepentirme de haberlo desafiado a una partida, porque resultaba que no mentía cuando alardeaba de su habilidad. A mí tampoco se me daba mal el billar, pero Wesley iba a machacarme. Y yo no podía hacer nada para cambiar la situación.

–Mantén las manos firmes –me susurró rozándome la oreja con los labios mientras se situaba detrás de mí. Me colocó las manos en las caderas y sus dedos juguetearon con el dobladillo de mi camiseta–. Concéntrate, Duffy. ¿Estás concentrándote?

Estaba intentando distraerme. Y, mierda, estaba funcionando.

Me lo saqué de encima a la vez que intentaba darle con la parte posterior del taco en la barriga. Pero lo esquivó, por supuesto, y lo único que conseguí fue golpear la bola blanca en la dirección contraria a la que pretendía y enviarla a una de las troneras.

—Falta —anunció Wesley.

—¡Mierda! —Di media vuelta para mirarlo—. ¡Esa no debería contar!

—Pero cuenta. —Sacó la bola blanca del agujero y la colocó con cuidado en un extremo de la mesa—. Todo vale en el amor y en el billar.

—En la guerra —lo corregí.

—Es lo mismo.

Echó el taco hacia atrás, muy recto, antes de impulsarlo de nuevo hacia delante. Medio segundo después, la bola ocho rodó hasta una tronera. El tiro ganador.

—Capullo —susurré.

—No seas mala perdedora —repuso mientras apoyaba el taco contra la pared—. ¿Qué esperabas? Está claro que todo se me da maravillosamente bien. —Sonrió de oreja a oreja—. Pero, oye, no irás a reprochármelo, ¿no? ¿Qué le voy a hacer si Dios me hizo así?

—Eres un tramposo arrogante. —Tiré mi taco a un lado y dejé que repiqueteara contra el suelo a un metro de distancia—. Los malos ganadores son mucho peores que los malos perdedores, ¿sabes? ¡Y solo has ganado porque no parabas de distraerme! ¡No podías dejar las dichosas manos quietecitas el tiempo suficiente para dejarme hacer un tiro decente! Eso es rastrero. Y además…

Sin previo aviso, me sentó encima de la mesa de billar. Me colocó las manos en los hombros y, un segundo después, estaba tumbada de espaldas y él me observaba con una sonrisa traviesa. Wesley también se subió a la mesa y se inclinó sobre mí acercando su cara a unos centímetros de la mía.

—¿En la mesa de billar? —le pregunté mirándolo con los ojos entrecerrados—. ¿En serio?

—No puedo resistirme —dijo—. ¿Sabes una cosa? Estás muy sexy cuando te cabreas conmigo, Duffy.

Al principio, me llamó la atención la ironía de aquella afirmación. Después de todo, había usado las palabras «sexy» y «Duffy» (que implicaba que era gorda y fea) en la misma frase. El contraste casi daba risa. Casi.

Sin embargo, lo que de verdad me afectó fue que nadie, ni siquiera Jake Gaither, me había llamado nunca sexy. Wesley era el primero. Y la verdad era que estar con él me hacía sentir atractiva. Por su forma de tocarme, de besarme, notaba que su cuerpo me deseaba. Vale, vale, estamos hablando de Wesley: su cuerpo deseaba a todo el mundo. Pero, aun así, no había experimentado eso desde… bueno, nunca lo había experimentado. Era excitante y me provocaba una sensación de poder.

Pero nada de aquello podía borrar la punzada de dolor que me provocó la última palabra de la frase. Puede que Wesley hubiera sido el primero en llamarme sexy, pero también había sido el primero en llamarme Duff. Esa palabra llevaba semanas rondándome, hostigándome. Y era culpa suya.

Así que, ¿cómo podía parecerle sexy y ser una Duff al mismo tiempo?

Aún más importante: ¿por qué me importaba?

Antes de que se me ocurriera alguna respuesta convincente, empezó a besarme y sus dedos localizaron los botones y cremalleras de mi ropa. Nos convertimos en una maraña de labios, manos y rodillas, y la pregunta desapareció por completo de mi mente.

Por el momento, al menos.

—¡Vamos, Panteras! —gritó Casey mientras ella y otras cuantas integrantes del Escuadrón Flacucho daban volteretas por la banda.

A mi lado, Jessica agitaba un pompón azul y naranja de dos dólares, con la cara radiante de entusiasmo. Esa noche, Jake y Tiffany estaban cenando con los padres de ella, lo que significaba que yo podía pasar un par de horas con mi amiga... aunque ese par de horas fueran en un estúpido evento deportivo.

La verdad era que odiaba todo lo que requiriera espíritu escolar porque, evidentemente, yo carecía de él. Odiaba el Instituto Hamilton. Odiaba los horribles colores chillones del colegio, la mascota increíblemente genérica y, por lo menos, al noventa por ciento de los alumnos. Por eso estaba deseando ir a la universidad.

—Tú lo odias todo —me había dicho Casey horas antes cuando le expliqué por qué no me apetecía ir al partido de baloncesto.

—Eso no es verdad.

—Sí que lo es. Lo odias todo. Pero te quiero. Y a Jessica, también. Por eso voy a pedirte, como tu mejor amiga, que la traigas al partido.

Cuando Jessica me había dicho que quería quedar esa noche, automáticamente pensé en ir a mi casa y ver pelis.

Pero Casey tenía que animar en el partido. Eso no hubiera supuesto ningún problema (Jessica y yo podríamos haber visto las películas solas), pero Casey tuvo que complicarlo. Ella también quería ver a Jessica. Y quería que la viéramos animar. Incluso aunque fuera en contra de todos mis principios.

—Vamos, B. —dijo con tono de enfado—. Solo es un partido.

Últimamente siempre estaba enfadada. Sobre todo conmigo. Y la verdad era que yo no estaba de humor para discutir con ella. Y de ese modo me habían metido en eso. Así había acabado sentada en una grada incómoda, aburrida como una ostra, mientras los vítores y gritos de la gente que me rodeaba me provocaban una maldita migraña. ¡Sencillamente genial!

Acababa de decidir ir a casa de Wesley después del partido cuando Jessica me dio un codazo en el costado. Durante un segundo, supuse que habría sido un accidente, que se había emocionado demasiado agitando el pompón, pero entonces me tiró de la muñeca.

—Bianca.

—¿Eh?

Volví la cabeza hacia ella, pero no estaba mirándome. Tenía la mirada clavada en un grupo de gente unas gradas más abajo.

Tres chicas altas y guapas (de tercero, supuse) estaban sentadas en fila, apoyándose en las manos y con las piernas cruzadas. Tres coletas perfectas y tres vaqueros de tiro bajo. Y entonces, por el pasillo, subió la cuarta. Era más bajita y pálida y tenía el pelo corto y negro. Era evidente que era de primero. Llevaba varias botellas de agua y unos cuantos perritos calientes en las manos, como si acabara de volver del puesto de comida.

Observé cómo la sonriente muchacha repartía las botellas y la comida, cómo cada una de las chicas de tercero cogía su parte y cómo no le demostraban ningún agradecimiento. La nueva se sentó al final de la fila, y ninguna de las chicas mayores habló con ella; solo lo hacían entre ellas. La vi intentar participar en las conversaciones, abriendo y cerrando la boca cuando alguna de las de tercero la interrumpía, ignorándola por completo. Hasta que, después de un momento, una la miró, dijo algo rápido y se volvió de nuevo hacia sus amigas. La chica de primero se levantó otra vez y bajó los escalones, sin dejar de sonreír, rumbo al puesto de comida para cumplir la nueva orden.

Cuando miré a Jessica, vi en sus ojos una expresión sombría y… triste. O tal vez de enfado. Con ella costaba saberlo porque no mostraba ninguna de esas emociones muy a menudo. De cualquier forma, lo entendí.

Hubo un tiempo en el que Jessica era igual que aquella chica de primero. Así la habíamos encontrado Casey y yo. Dos chicas de último curso con las que Casey animaba (el estereotipo de animadora al completo: rubias, ruines y tontas) alardeaban de que tenían de «mascota» a una boba de segundo. Y, más de una vez, Casey las había visto tratarla mal.

–Tenemos que hacer algo, B. –había dicho con insistencia–. No podemos permitir que sigan tratándola así.

Casey pensaba que tenía que salvar a todo el mundo, igual que me había salvado a mí en el patio de recreo hacía tantos años. Ya me había acostumbrado. Solo que esa vez quería que la ayudara. Normalmente, habría aceptado simplemente porque Casey me lo pedía, pero no tenía ningún interés en conocer a Jessica Gaither, mucho menos salvarla.

No es que fuera cruel, pero no quería conocer a la hermana de Jake Gaither. No después de lo que me había hecho. No después del drama por el que había pasado el año anterior.

Y había conseguido mantenerme firme bastante bien... hasta aquel día en la cafetería.

—Por el amor de Dios, Jessica, ¿es que eres retrasada o qué?

Casey y yo nos volvimos en las sillas y vimos a una de las flacas animadoras fulminando con la mirada a Jessica, que era por lo menos una cabeza más baja que ella. O tal vez solo fuera la forma en la que Jessica se encorvaba, acobardada.

—Solo te he pedido una cosa —le espetó la animadora, señalando con un dedo el plato que Jessica sostenía—. Una única cosa. Nada de aliño en la ensalada. Joder, ¿tan difícil es?

—Hacen la ensalada así, Mia —farfulló Jessica poniéndose colorada—. Yo no...

—Eres imbécil.

La animadora dio media vuelta y se alejó echa una furia, con la coleta agitándose a su espalda.

Jessica se quedó allí de pie mirando el plato de ensalada con ojos grandes y tristes. Parecía tan pequeña en ese momento... tan débil y apocada... En ese instante, no la consideré guapa. Ni siquiera mona. Solo frágil y asustadiza. Como un ratón.

–Date prisa, Jessica –la llamó una de las otras animadoras desde su mesa. Parecía enfadada–. Por Dios, no vamos a guardarte el sitio para siempre.

Noté que Casey estaba mirándome y supe lo que quería. Y, al observar a Jessica, no pude fingir que no entendía por qué. Si alguien necesitaba la ayuda de Casey, la salvadora, era esa chica. Además, no se parecía en nada a su hermano. Eso hizo que mi decisión fuera un poco más fácil.

Suspiré y dije en voz alta:

–Oye, Jessica. –La chica se sobresaltó y se volvió hacia mí, y la expresión temerosa de su cara casi me rompe el corazón–. Ven a sentarte con nosotras.

No era una pregunta. Ni siquiera un ofrecimiento. Era prácticamente una orden. No quise dejarle alternativa. Aunque, si era sensata, nos habría elegido a nosotras sin dudarlo.

Entonces Jessica se acercó corriendo a nosotras, las animadoras de último curso se cabrearon y Casey me dedicó una sonrisa radiante. Y eso fue todo. Fin de la historia.

Aunque en ese momento, mientras observaba cómo la chica bajita de primero salía corriendo hacia el puesto de comida, no parecía un hecho del pasado. Noté que los vaqueros no le quedaban bien (no tenía suficientes curvas para llevar pantalones de tiro bajo) y que encorvaba los hombros con desgarbo, lo que la hacía parecer extrañamente descompensada. Todos esos pequeños detalles la diferenciaban de sus supuestas amigas. Era la encarnación del recuerdo de la chica que había sido Jessica antaño. Solo que ahora yo tenía una nueva palabra para definirlo. Para definir a aquella chica.

«Duff.»

No podía negarse. Aquella alumna de primero era sin duda la Duff en comparación con las guapas brujas que la mangoneaban. No es que fuera fea (y, desde luego, no estaba gorda); pero, de las cuatro, ella era la última en la que uno se fijaría. Y no pude evitar preguntarme si se trataría de eso. De si la usarían para algo más que para hacerles recados. ¿Estaría allí también para que parecieran más guapas?

Miré de nuevo a Jessica y recordé lo pequeña y débil que parecía ese día. Ni mona ni guapa: solo patética. La Duff. Ahora era preciosa, voluptuosa, adorable y... bueno, sexy. Cualquier tío (menos Harrison, por desgracia) babearía por ella. Pero lo curioso era que no había cambiado tanto. En la superficie, al menos. Incluso entonces era rubia y con curvas. Así que ¿qué había cambiado? ¿Cómo podía una de las chicas más preciosas que he conocido haber sido la Duff? ¿Cómo funcionaba esa lógica? Era como cuando Wesley me había llamado sexy y Duffy a la vez. No tenía sentido.

¿Era posible que no hiciera falta ser gorda ni fea para ser la Duff? Después de todo, Wesley me había dicho aquella noche en el Nest que el término «Duff» era una comparación. ¿Eso quería decir que incluso las chicas bastante atractivas podían ser la Duff?

–¿Deberíamos ir a ayudarla?

Me quedé sorprendida un segundo, y un poco confundida. Entonces me di cuenta de que Jessica estaba observando cómo la chica de primero bajaba por la banda.

Y se me ocurrió algo horrible, algo que me convertía en una auténtica zorra. Me planteé seriamente ir y reclamar a la novata, y así, tal vez, solo tal vez, yo dejaría de ser la Duff.

Pude oír la voz de Wesley en mi cabeza: «La mayoría de la gente haría cualquier cosa para evitar ser la Duff». Había contestado que yo no era como la mayoría, pero ¿era cierto? ¿Era como esas animadoras que habían tratado mal a Jessica o como esas tres chicas de tercero sentadas en las gradas con sus coletas perfectas?

Sin embargo, antes de que pudiera tomar la decisión de ayudar a la nueva (ya fuera por las razones correctas o las equivocadas), la sirena sonó por encima de nuestras cabezas. La multitud se puso en pie a nuestro alrededor, vitoreando y gritando, y me impidió ver a la pequeña figura de pelo oscuro. La chica había desaparecido, junto con mi oportunidad de salvarla o utilizarla, o lo que quiera que hubiera acabado haciendo.

El partido había terminado, las Panteras habían ganado y yo seguía siendo la Duff.

13

Podrían haber llamado al día de San Valentín el día Anti-Duff. Vamos, ¿qué otro día podría herir más la autoestima de una chica? No es que a mí me importara. Yo odiaba San Valentín incluso antes de ser consciente de mi estatus de Duff. Sinceramente, ni siquiera entendía por qué era festivo. En realidad, no era más que una excusa para que las chicas lloriquearan por no tener novio y los chicos las engatusaran para echar un polvo. Lo consideraba algo materialista, complaciente y, con todo ese chocolate que me comía, pésimo para la salud.

–¡Es mi día favorito del año! –exclamó Jessica una mañana mientras bajaba por el pasillo dando saltitos de camino a clase de Francés. Era la primera vez que la veía realmente animada desde que Jake se marchó dos días antes–. ¡Todo es de color rosa y rojo! ¡Y hay flores y bombones! ¿A que es divertido, Bianca?

–Claro.

Había pasado casi una semana desde el partido de baloncesto y ninguna de las dos había mencionado a la chica de primero desde que salimos del gimnasio aquella noche. Me pregunté si Jessica ya se habría olvidado del asunto.

Qué suerte tenía, porque yo no. No podía. Esa chica y lo que teníamos en común (nuestra identidad compartida como Duff) habían estado merodeando en el fondo de mi mente desde entonces. Pero, desde luego, no iba a hablar de ello. Ni con Jessica ni con nadie.

—Ay, ojalá Harrison me hubiera pedido una cita. Eso habría sido perfecto, pero no siempre se consigue lo que se quiere, ¿verdad?

—No.

—¿Sabes qué? Creo que este es el primer año que ninguna de las tres tiene novio —continuó Jessica—. El año pasado, yo estaba saliendo con Terrence y, el anterior, Casey estaba con Zack. Pero supongo que este año podemos pasar el día juntas. Sería muy divertido. Es nuestro último día de San Valentín juntas antes de la universidad, y últimamente no nos hemos visto mucho. ¿Qué te parece? Podemos quedar en mi casa para celebrarlo.

—Me parece bien.

Jessica me rodeó los hombros con un brazo.

—¡Feliz día de San Valentín, Bianca!

—Igualmente.

Sonreí, a pesar de todo. No pude evitarlo. Jessica tenía una de esas sonrisas contagiosas que hacían que costara muchísimo ser pesimista cuando ella desbordaba tanta alegría.

Llegamos a la puerta del aula y nos encontramos a la profe esperándonos dentro.

—Bianca —me dijo cuando entré—. Acabo de recibir un correo electrónico de una de las secretarias de la recepción. Necesita que algunos alumnos ayuden a repartir las flores que ha enviado la gente. Tú llevas todos los ejercicios al día, así que ¿te importaría hacerme este favor?

—Esto… vale.

—¡Oh, qué divertido! —Jessica me apartó el brazo de los

hombros–. Vas a entregar flores. Es casi como si hicieras de Cupido.

Sí. Qué divertido. ¡Puaj!

–Hasta luego –le dije a Jessica mientras daba media vuelta y salía de la clase.

Me abrí paso entre la multitud de alumnos, luchando contra la corriente para llegar a la recepción. Parecía haber parejas por todas partes demostrándose cuánto se querían (agarrándose de la mano, haciéndose ojitos, intercambiando regalos o dándose el lote) para que todo el instituto lo viera.

–¡Qué asco! –dije entre dientes.

Estaba a medio camino de la recepción cuando una mano fuerte me agarró del codo.

–Hola, Duffy.

–¿Qué quieres?

Wesley estaba sonriéndome cuando me volví hacia él.

–Solo quería avisarte de que si planeas pasar esta noche por mi casa puede que esté un poco ocupado. Como es el día del amor, tengo una agenda muy apretada.

Había sonado como si fuera un gigoló profesional.

–Pero si estás desesperada por verme, creo que estaré libre a eso de las once.

–Creo que puedo sobrevivir una noche sin ti, Wesley. De hecho, puedo sobrevivir una eternidad.

–Claro que sí. –Me soltó el brazo y me guiñó un ojo–. Te veo esta noche, Duffy.

Y entonces se fue, arrastrado por la oleada de alumnos a punto de llegar tarde a clase.

–Capullo –gruñí–. Dios, cómo lo odio.

Llegué a la recepción unos minutos después, y la secretaria (que parecía un manojo de nervios) me sonrió con alivio.

–¿Te envía la señora Romali? Ven por aquí. La mesa está aquí. –Me guió por la habitación y señaló una mesa cuadrada plegable con una superficie verde vómito–. Ahí está. ¡Que te diviertas!

–Lo dudo mucho.

La mesa estaba cubierta (y quiero decir cubierta del todo) de ramos, floreros, cajas con forma de corazón y tarjetas de felicitación. Cincuenta paquetes de color rojo y rosado, como mínimo, esperaban que los repartieran, y yo tendría el privilegio de ser la portadora de tanta felicidad.

Estaba decidiendo por dónde empezar cuando oí unos pasos a mi espalda. Supuse que era la secretaria y le pregunté sin darme la vuelta:

–¿Tiene una lista de las clases en las que están estos alumnos para saber adónde llevar los regalos?

–Sí, aquí está.

No era la secretaria.

Me volví enseguida, asombrada por la voz que me había respondido. Conocía aquella voz perfectamente, a pesar de que nunca, ni una sola vez, me había hablado a mí directamente.

Toby Tucker sonrió.

–Hola.

–Oh. Pensaba que eras otra persona.

–No pretendía asustarte. Así que a ti también te han encasquetado esto, ¿eh?

–Pues sí.

Me alivió descubrir que mis cuerdas vocales no se habían quedado paralizadas.

Como siempre, Toby llevaba un *blazer* rayado (demasiado formal para ir al instituto) y el pelo rubio le caía alrededor de la cara con ese anticuado corte a la taza. Era adorable, único e inteligente: la personificación de todo lo que yo buscaba en un chico. Si creyera en esas estupideces, habría pensado que era cosa del destino que trabajáramos juntos el día de San Valentín.

—Aquí están las listas de las clases —dijo pasándome una carpeta verde—. Deberíamos empezar. Esto podría llevarnos un buen rato. —Recorrió la montaña de regalos con la mirada desde detrás de sus gafas ovaladas—. Creo que nunca había visto tanto rosa junto.

—Yo sí. En el cuarto de mi mejor amiga.

Toby soltó una risita y cogió un ramo de rosas blancas y rosadas. Miró la tarjeta y sugirió:

—La forma más rápida de hacer esto podría ser separar los regalos en montones según la clase en la que esté cada alumno. Así el reparto será mucho más eficiente.

—Vale. Organizar por clase. Entendido.

Era plenamente consciente de lo idiota que sonaba con mis poco elocuentes respuestas, pero no podía evitarlo. A fin de cuentas, que me funcionara la voz no significaba necesariamente que pudiera usarla bien en su presencia. Llevaba tres años colada por Toby, y decir que me ponía nerviosa sería quedarse cortísimo.

Por suerte para mí, Toby no pareció darse cuenta. Mientras dividíamos los diferentes regalos en grupos, incluso entabló una amable charla. Me fui relajando poco a poco y me encontré casi cómoda hablando con él. ¡Un milagro de San Valentín! Bueno, «milagro» es una palabra demasiado fuerte: un milagro habría sido que me cogiera en brazos y me plantara un beso allí mismo. Así que tal vez eso fuera más bien un «obsequio» de San Valentín. De cualquier manera, mi torpe e idiota forma de hablar empezó a desaparecer. Gracias a Dios.

–Vaya, hay un montón de cosas para Vikki McPhee –comentó Toby mientras colocaba una caja de bombones sobre una pila cada vez más grande–. ¿Es que tiene seis novios o qué?

–Yo solo sé de tres –contesté–, pero no me lo cuenta todo.

Toby negó con la cabeza.

–¡Caray! –Cogió una tarjeta y comprobó el nombre–. Bueno, ¿y qué hay de ti? ¿Tienes algún plan para San Valentín?

–No, nada.

Toby dejó la tarjeta en uno de los montones.

–¿Ni siquiera una cita con tu novio?

–Para eso sería necesario que tuviera novio. Y no tengo. –Como no quería que empezara a compadecerme, agregué–: Pero, aunque tuviera novio, no haría nada especial. San Valentín es una festividad estúpida y patética.

–¿De verdad piensas eso?

–Por supuesto. Venga ya, es un foco de enfermedades venéreas. Apuesto a que hay más personas que contraen la sífilis en San Valentín que en cualquier otro día del año. Menudo motivo de celebración.

Nos reímos juntos y, durante un minuto, me pareció algo natural.

–¿Y tú? ¿Tienes planes con tu novia?

–Bueno, íbamos a hacer algo –contestó con un suspiro–, pero rompimos el sábado, así que esos planes se han ido al traste.

–Vaya, lo siento.

Pero no era verdad. Por dentro, estaba entusiasmada y rebosante de alegría. Dios, era una auténtica zorra.

–Sí, yo también. –Se produjo una pequeña pausa algo incómoda, y luego Toby añadió–: Creo que ya lo tenemos todo ordenado. ¿Estás lista para empezar a repartir?

–Lista, sí, pero no muy dispuesta. –Señalé un enorme jarrón de flores surtidas–. Mira esto. Seguro que alguna chica se lo ha enviado a sí misma para quedar bien delante de sus amigas. Qué triste, ¿no?

–¿Quieres decir que tú no lo harías? –me preguntó Toby mientras en su rostro aniñado se dibujaba una sonrisita de incredulidad.

–Nunca –negué rotundamente–. ¿Por qué va a importarme lo que los otros piensen de mí? ¿Y qué si no me regalan nada por San Valentín? Solo es vanidad. ¿A quién necesito impresionar?

–No lo sé. A mí me parece que el día de San Valentín va más bien de sentirse especial. –Sacó una flor del enorme florero–. Creo que todas las chicas merecen sentirse especiales de vez en cuando. Incluso tú, Bianca.

A continuación, estiró la mano y me colocó el tallo de la flor detrás de la oreja.

Intenté convencerme de que eso era completamente cursi y ridículo. De que si cualquier otro tío (Wesley, por ejemplo) me hubiera soltado algo como eso, era probable que le hubiera dado un bofetón o me hubiera reído en su cara. En cambio, sentí que me ponía colorada cuando me rozó la mejilla con los dedos al bajar la mano. A fin de cuentas, ese no era cualquier tío. Era Toby Tucker. El perfecto, asombroso y adorable Toby Tucker.

Puede que, después de todo, el día de San Valentín no fuera tan Anti-Duff.

–Vamos –propuso–. Coge ese montón y empecemos a repartir.

–Eh... vale.

Podríamos haber acabado antes de que terminara la primera hora, pero la secretaria siguió trayendo más y más paquetes hasta la mesita color vómito. A Toby y a mí nos quedó muy claro que íbamos a estar trabajando, por lo menos, hasta la hora de comer.

Y a mí no me importaba pasar la mañana con Toby Tucker.

–No quiero gafarlo –dijo cuando regresábamos a la mesa solo cinco minutos antes del timbre del almuerzo–. Pero creo que puede que hayamos terminado.

Llegamos a la mesa vacía y nos miramos sonriendo, aunque yo lo hice sin muchas ganas.

–Ya está –anuncié–. Esos eran los últimos.

–Sí. –Toby se apoyó en la mesa–. ¿Sabes una cosa? Me alegro de que te obligaran a ayudar. Me habría aburrido como una ostra si hubiera tenido que hacer esto yo solo. Ha sido divertido hablar contigo.

–Yo también me he divertido –contesté intentando no sonar demasiado entusiasmada.

–Oye, no deberías sentarte en el fondo del aula en clase de Política. ¿Por qué no te sientas en uno de los pupitres detrás de Jeanine y de mí? No tienes por qué estar allí atrás sola. Creo que deberías unirte a nosotros, a los empollones de las primeras filas.

–Puede que lo haga.

Y, evidentemente, sabía que lo haría. ¿Cómo podía rechazar semejante ofrecimiento de Toby Tucker?

—¿Bianca Piper? —La secretaria dobló la esquina y se acercó a nosotros. En esta ocasión, no llevaba flores ni cajas de bombones en las manos—. Bianca, han venido a recogerte.

—Ah. Esto… vale.

Qué raro. Tenía coche, no había ningún motivo para que vinieran a buscarme.

—Hasta luego, Bianca —dijo Toby mientras yo seguía a la secretaria hacia la recepción—. Feliz día de San Valentín.

Me despedí con la mano justo antes de doblar la esquina, intentando recordar si ese día tenía una cita con el médico o algo por el estilo. ¿Por qué habían ido a recogerme al instituto? Sin embargo, antes de que mi mente pudiera inventar alguna tragedia familiar, la respuesta me cayó como un jarro de agua fría, y me detuve en seco.

Oh, Dios mío.

Junto al mostrador de recepción había una mujer que parecía sacada de algún plató de Hollywood. El pelo rubio, aclarado por el sol, le caía alrededor de los hombros formando ondas suaves y perfectas. Llevaba un vestido verde azulado hasta las rodillas (sin medias, por supuesto) y unos tacones altísimos. Unas gafas de sol oscuras le cubrían los ojos; unos ojos que yo sabía que eran verdes. Se sacó las gafas de sol mientras se volvía hacia mí.

—Hola, Bianca —dijo la hermosa mujer.

—Hola, mamá.

14

Me di cuenta de que estaba nerviosa por la forma en que dio un paso hacia mí. Temblaba y tenía los ojos muy abiertos, supuse que por miedo. Y tenía motivos para tener miedo. A diferencia de mi padre, yo sabía que había enviado los papeles del divorcio a propósito, y la odiaba por ello. Por no avisarnos a ninguno de los dos. Le lancé una mirada de advertencia y me aparté cuando se acercó. Eso debió de confirmar sus inquietudes, porque clavó la mirada en el suelo y se concentró en la punta de sus zapatos con tacón de aguja.

–Te he echado de menos, Bianca –dijo mi madre.

–Seguro que sí.

–¿Ha terminado de rellenar la autorización de salida, señora Piper? –preguntó la secretaria, que había regresado a su silla detrás del alto mostrador.

–Sí, ya está –respondió mamá. Su voz había recuperado su tono suave y natural–. ¿Podemos irnos?

–Ya son libres –bromeó la secretaria. Se ahuecó el pelo y añadió–: Solo quería que supiera que me compré su libro. Ha sido mi salvación. Lo leo una vez al mes.

Mamá sonrió.

–¡Vaya, gracias! Me alegra conocer a una de las diez personas que lo han leído.

La secretaria sonrió de oreja a oreja.

—Me ha cambiado la vida.

Puse los ojos en blanco. Todo el mundo adoraba a mi madre. Era graciosa, inteligente y guapísima. Se parecía mucho a Uma Thurman: todo lo opuesto a una Duff. Todos sus defectos quedaban ocultos tras esa cara bonita, y su sonrisa podía hacerle creer a la gente que era perfecta. La secretaria (que se rió como una tonta y nos dijo adiós con la mano mientras mamá me sacaba del instituto) también se había dejado engañar.

—¿Puede saberse adónde vamos? —No me molesté en disimular mi resentimiento. Se lo merecía.

—Pues... no lo sé —admitió mamá.

Sus tacones repiquetearon contra el pavimento liso mientras caminaba. El sonido se detuvo cuando llegamos a su coche, un Mustang rojo en el que parecía haber vivido unos días. Se notaba que había venido conduciendo desde el condado de Orange.

—¿A algún sitio con calefacción? —sugirió intentando sonar alegre—. Se me está helando el trasero.

—Si te pusieras ropa decente, puede que no tuvieras ese problema. —Abrí bruscamente la puerta del pasajero y aparté algunos trastos del asiento antes de sentarme—. Siento que esto no sea California. Aquí hace frío.

—Oh, California no es tan buena como la pintan —contestó mamá. Parecía tensa cuando subió al coche. Su risa animada reflejaba claramente nerviosismo, no alegría—. No es tan divertida como parece en las películas, ¿sabes?

—¿En serio? Qué raro. Porque parece que te gusta más que Hamilton. Aunque, claro, a ti te gusta estar en cualquier sitio menos aquí, ¿no?

La risa se apagó y el coche quedó en silencio. Mamá

arrancó y salió del aparcamiento. Por fin, dejando de lado todo fingimiento, susurró:

—Tenemos que hablar de esto, Bianca. Creo que no entiendes por lo que estoy pasando ahora mismo.

—Sí, parece duro, mamá —le espeté—. Bonito bronceado, por cierto. Ya sé que el condado de Orange debe de haber sido un auténtico infierno. ¿Cómo te las has arreglado?

—¡Bianca Lynne Piper, no te permito que me hables así! —me gritó—. A pesar de lo que puedas pensar de mí en este momento, sigo siendo tu madre, y me merezco cierto respeto.

—¿En serio? —me burlé—. ¿El mismo respeto que tú le mostraste a papá al enviar los jodidos papeles del divorcio sin avisarle? ¡Ni a mí! Por el amor de Dios, mamá, ¿a ti qué diablos te pasa?

Más silencio.

Sabía que eso no nos llevaría a ninguna parte. Sabía que debería escucharla, tener en cuenta su versión de los hechos y compartir mis sentimientos de manera razonable. Había visto lo bastante *El show del Dr. Phil* para saber que necesitábamos transigir, pero no me apetecía. Egoísta, infantil, inmadura... Puede que todos esos términos describieran mi actitud, pero la cara de mi padre, las botellas de cerveza vacías que había recogido la semana pasada y los estúpidos papeles del divorcio seguían apareciendo una y otra vez en mi mente. ¿Escuchar? ¿Tener en cuenta? ¿Ser razonable? ¿Cómo podría plantearme siquiera esas opciones? Ella era tan infantil y egoísta como yo. La única diferencia era que ella lo disimulaba mejor.

Mamá dejó escapar un lento suspiro antes de detener el coche en el arcén. Apagó el motor sin decir una palabra y yo miré por la ventanilla hacia un campo vacío que se llenaría de altos tallos de maíz cuando por fin llegara el verano. El cielo gris de febrero lo decía todo. Frío. Lúgubre. Un día desperdiciado. Un esfuerzo desperdiciado. Pero no sería yo la que hablara primero. Dejaría que ella fuera la adulta, por una vez en su vida.

Transcurrieron los segundos y el único sonido dentro del coche era el de nuestra respiración. La de mamá era entrecortada y vacilante, como si estuviera a punto de hablar pero cambiara de idea antes de que la primera palabra escapara de sus labios. Esperé.

–Bianca –dijo al cabo de un rato. Habíamos permanecido en silencio por lo menos cinco minutos–. Lo… lo siento. Lo siento… tantísimo.

No dije nada.

–Yo no quería que esto acabara así. –Por la forma en la que se le quebró la voz me pregunté si estaría llorando, pero no giré la cabeza–. Hacía mucho tiempo que no era feliz y, después de que muriera la abuela, tu padre me sugirió que hiciera un viaje. Me pareció que podría ayudarme. Podría escapar por un tiempo, dar unas cuantas charlas en diferentes ciudades y luego regresar y todo mejoraría. Todo volvería a ser como cuando tu padre y yo nos casamos. Pero…

Sus dedos largos y delgados temblaron cuando me rodearon la mano. Me volví hacia ella de mala gana. No tenía lágrimas en las mejillas, pero pude ver un destello borroso en sus ojos. La presa no se había roto todavía.

–Pero me equivoqué –continuó–. Pensé que podría escapar de mis problemas, pero me equivoqué, Bianca. No importa adónde vayas ni lo que hagas para distraerte, la realidad acaba alcanzándote. Volvía a casa y, después de unos días, lo sentía otra vez, así que me marchaba de nuevo. Me quedaba un poco más de tiempo, aceptaba dar charlas en un par de lugares más, me alejaba un poco más... hasta que ya no pude seguir alejándome. La verdad me alcanzó al otro lado del país y... tuve que reconocerla.

−¿Qué verdad?

−Que ya no quiero estar con tu padre. −Bajó la mirada hasta nuestras manos, que seguían unidas−. Quiero mucho a tu padre, pero ya no estoy enamorada de él... no de la forma en que él lo está de mí. Es un tópico como una casa, pero es la verdad. No puedo seguir mintiendo y fingiendo que las cosas van bien entre nosotros. Lo siento.

−¿Así que quieres el divorcio?

−Sí.

Suspiré y volví a mirar por la ventanilla. Todo seguía gris y frío.

−Vas a tener que decírselo a papá. Él piensa que fue un error. No se cree que... pudieras hacernos algo así.

−¿Me odias?

−No.

En realidad, la respuesta no me sorprendió, aunque me salió de forma bastante automática. Quería odiarla, pero no por lo del divorcio. Con todo el tiempo que había estado fuera en los últimos años, la idea de vivir sola con mi padre no me resultaba nada nuevo ni terrible. Y, sinceramente, ya hacía tiempo que esperaba que se separasen. La verdad era que quería odiarla por papá. Por el dolor que sabía que estaba causándole. Por esa noche en la que había recaído.

Pero entonces me di cuenta. Ella no había provocado la recaída. Podía culparla todo lo que quisiera, pero eso no serviría de nada. Ella tenía que hacerse cargo de su propia vida, y papá debía hacer lo mismo. Al seguir casados y dejar que las cosas siguieran igual durante los últimos tres años, habían estado engañándose. Mi madre estaba enfrentándose a la realidad por fin y papá también iba a tener que hacerlo.

—No te odio, mamá.

Ya hacía horas que había oscurecido cuando mi madre me llevó al aparcamiento del instituto, donde había dejado mi coche. Habíamos pasado la tarde dando vueltas por Hamilton y hablando de todo lo que se había perdido. Igual que hacíamos cada vez que regresaba de una gira. Solo que en esta ocasión no volvería a casa. Al menos, no para quedarse.

—Creo que… voy a ir a ver a tu padre ahora —me dijo—. Tal vez deberías quedarte a dormir en casa de Casey, cielo. Es que no sé cómo va a tomárselo… Bueno, es mentira. Sí sé cómo va a tomárselo: mal.

Asentí con la cabeza con la esperanza de que se equivocara (aunque nuestras definiciones de «tomárselo mal» eran diferentes). No le había mencionado la recaída de papá, más que nada porque había pasado sin ningún drama importante. Ella temía encontrarse con lágrimas y gritos (la clase de cosas que cualquiera se esperaría en un enfrentamiento de ese tipo) y no quise que se preocupara también por su alcoholismo. Sobre todo porque al final no había sido para tanto.

—Dios —susurró—, me siento fatal. Voy a decirle a mi marido que quiero el divorcio el día de San Valentín. Soy una… una bruja. Tal vez debería esperar hasta mañana y…

—Tienes que decírselo, mamá. Si lo aplazas ahora, no lo harás nunca. —Me desabroché el cinturón—. Voy a llamar a Casey para ver si puedo quedarme con ella. Deberías irte ya... antes de que sea demasiado tarde.

—Vale. —Respiró hondo y dejó salir el aire despacio—. Vale, lo haré.

Abrí la puerta del Mustang y salí.

—Todo irá bien.

Mamá negó con la cabeza y jugueteó con las llaves que colgaban del contacto.

—Tú no tendrías que ser la adulta —murmuró—. Yo soy la madre. Debería ser yo la que te consolara y te dijera que todo va a salir bien. Esta relación es tan disfuncional...

—Lo funcional está sobrevalorado. —Le sonreí de manera tranquilizadora—. Ya hablaremos mañana. Buena suerte.

—Gracias —dijo con un suspiro—. Te quiero, Bianca.

—Y yo a ti.

—Adiós, cariño.

Cerré la puerta y me alejé del coche. Le dije adiós con la mano sin dejar de sonreír y vi cómo el pequeño Mustang rojo salía del aparcamiento y giraba hacia la carretera, donde dudó como si intentara decidir si seguir adelante o no. Pero mi madre siguió conduciendo, así que yo continué agitando la mano.

En cuanto las luces traseras desaparecieron, permití que la sonrisa se esfumara de mi cara. Sí, sabía que todo saldría bien. Sí, sabía que mamá estaba haciendo lo correcto. Sí, sabía que ese era un paso en la dirección correcta para mis padres. Pero también sabía que papá no lo vería así... al menos al principio. Había sonreído para tranquilizar a mi madre, pero incliné la cabeza apenada al pensar en mi padre.

Saqué las llaves del coche del bolsillo trasero y abrí la puerta. Después de lanzar mis cosas sobre el asiento del pasajero, entré y cerré la puerta, levantando un muro entre mi tembloroso cuerpo y el frío de aquella noche de febrero. Me quedé sentada en el silencioso coche varios minutos, intentando no pensar en mis padres ni preocuparme por ellos. Algo imposible, por supuesto.

Metí la mano en el bolso y me puse a rebuscar entre la maraña de envoltorios de chicle y bolis. Por fin, localicé mi móvil. Lo saqué e hice una pausa con el pulgar sobre el teclado.

No llamé a Casey.

Esperé tres tonos antes de que lo cogiera.

–Hola. Soy Bianca. Esto... ¿todavía estás ocupado?

–¿Me tomas el pelo?

Me quedé mirando boquiabierta el enorme televisor de pantalla plana mientras me ponía colorada. ¿Otra vez? ¿En serio? Wesley me había dado una paliza diez veces seguidas en la hora que llevaba allí. Casi había esperado encontrarme a una rubia de largas piernas saliendo a hurtadillas de su cuarto cuando subí las escaleras, pero la escena con la que me encontré era muy diferente: Wesley estaba jugando a *SoulCalibur IV*. Y, como soy masoquista, lo reté.

¡Dios mío, tenía que encontrar algo a lo que pudiera ganarlo!

Además, moler a palos a un personaje animado tenía algo que me hizo sentir mejor. Antes de darme cuenta, ya ni siquiera estaba preocupada por mis padres. Todo saldría bien. Tenía que ser así. Lo único que debía hacer era ser paciente y dejar que las cosas siguieran su curso. Y, mientras tanto, tenía que machacar a Wesley... o intentarlo, al menos.

—Todo se me da genial, ya te lo dije —bromeó mientras dejaba el mando de la PlayStation 3 en el suelo entre nosotros—. Y eso incluye los videojuegos.

Vi cómo el personaje que Wesley había estado manejando se movía por la pantalla haciendo una especie de extraña danza de la victoria.

—No es justo —masculle—. Tu espada era más grande que la mía.

—Mi espada es más grande que la de todo el mundo.

Le lancé el mando a la cabeza; pero, por supuesto, se agachó y la esquivó. Mierda.

—Pervertido.

—Oh, vamos. —Se rió—. Me lo has puesto a huevo, Duffy.

Lo miré con cara de pocos amigos un momento, pero pude sentir cómo se disipaba mi enfado. Al final, negué con la cabeza... y sonreí.

—Vale, tienes razón. Me lo he buscado yo solita. Pero los chicos que fanfarronean nunca tienen nada de lo que presumir, ¿sabes?

Wesley frunció el ceño.

—Los dos sabemos que eso no es verdad. Te lo he demostrado un montón de veces. —Sonrió con picardía y luego se apoyó contra mí, rozándome la oreja con los labios—. Pero puedo volver a demostrártelo si quieres... y sabes que quieres.

—No... no creo que sea necesario —logré decir.

Sus labios bajaron por mi cuello, provocándome un escalofrío que me recorrió la espalda.

—Ah —gruñó juguetón—. Pero yo sí.

Me reí cuando me empujó hacia el suelo y una de sus manos localizó el lugar exacto por encima de mi cadera izquierda donde tenía más cosquillas. Wesley había descubierto aquel punto un par de semanas antes y yo estaba furiosa conmigo misma por dejar que lo usara en mi contra. Ahora podía hacer que me retorciera y me riera de manera incontrolable cada vez que le viniera en gana, y se notaba que le encantaba. Capullo.

Exploró con los dedos aquel punto sensible por encima de mi cadera mientras su boca se trasladaba desde mi clavícula a la oreja. Me reía tan fuerte que casi no podía respirar. Era injusto, tan injusto… Intenté apartarlo de una patadita, pero me atrapó la pierna entre las suyas y procedió a hacerme aún más cosquillas.

Justo cuando pensé que estaba a punto de desmayarme por falta de oxígeno, sentí que algo me vibraba en el bolsillo trasero.

–¡Para, para! –exclamé mientras le daba un empujón.

Wesley se apartó y yo me puse en pie, tambaleándome e intentando recobrar el aliento, mientras sacaba el móvil del bolsillo.

Supuse que sería mamá para contarme cómo habían ido las cosas con papá (y así aliviar cualquier rastro de preocupación que me quedara), pero se me hizo un nudo en el estómago cuando vi el nombre en la pantalla.

–Ay, mierda. Es Casey.

Le eché un vistazo a Wesley, que seguía tumbado en el suelo con las manos detrás de la cabeza. La camiseta se le había subido un poco y pude entrever los huesos de su cadera asomando por debajo de la tela verde.

–No digas nada. No puede saber que estoy aquí. –A

continuación, abrí el teléfono y dije con toda la naturalidad que pude–: ¿Diga?

–Hola. –Parecía cabreada–. ¿Qué rayos te ha ocurrido hoy? Jess ha dicho que íbamos a pasar el día de San Valentín las tres juntas, pero no has aparecido.

–Ya, lo siento. Es que me ha surgido algo.

–No paras de decir eso últimamente, Bianca. Siempre te surge algo o tienes planes o…

De pronto, sentí el aliento de Wesley en la nuca. Se había levantado del suelo y se había situado detrás de mí sin que me diera cuenta. Me rodeó la cintura con los brazos desde atrás y me desabrochó el botón de los vaqueros antes de que pudiera detenerlo.

–… y Jess se había hecho la ilusión de que haríamos algo divertido…

No podía concentrarme en nada de lo que Casey estaba diciendo mientras la mano de Wesley se deslizaba por debajo de la cinturilla de mis pantalones y sus dedos iban bajando cada vez más. No podía decir ni una palabra. No podía ordenarle que parase ni mostrar ninguna reacción. Si lo hacía, Casey sabría que no estaba sola. Pero, Dios mío, sentía que todo mi cuerpo estaba transformándose en una bola de fuego. Wesley sabía que estaba volviéndome loca y se reía contra mi cuello.

–… es que no entiendo qué pasa contigo.

Me mordí el labio para no jadear cuando los dedos de Wesley alcanzaron lugares que hicieron que me temblaran las rodillas. Pude notar la sonrisa de suficiencia en sus labios cuando se deslizaron hasta mi oreja. Imbécil. Estaba intentando torturarme y yo no podría soportarlo mucho más.

–Bianca, ¿estás ahí?

Wesley me mordió el lóbulo de la oreja y me bajó aún más los vaqueros con la mano libre mientras la otra seguía haciéndome estremecer.

–Mira, Casey, tengo que dejarte.

–¿Qué? B., no...

Cerré el teléfono de golpe y lo dejé caer al suelo. A continuación, le aparté los brazos a Wesley y me volví hacia él. Efectivamente, estaba sonriendo de oreja a oreja.

–Eres un hijo de...

–Oye –me interrumpió levantando las manos en señal de rendición–. Me has dicho que no dijera nada. No has dicho que no pudiera...

Me lancé a por el mando de la videoconsola que estaba tirado en el suelo y apreté el botón que reiniciaría la partida, decidida a darle una lección por meterse conmigo así. Ya había conseguido asestar unos cuantos golpes certeros antes de que Wesley lograra recuperar su mando y defenderse.

–Y tú me acusas a mí de hacer trampas –dijo mientras bloqueaba el puñetazo que le lanzó mi gladiadora.

–Bueno, te lo mereces –le espeté, apretando frenéticamente los botones de ataque.

Dio igual. Incluso con la ventaja inicial, me ganó. Mierda.

–Feliz día de San Valentín, Duffy. –Wesley se volvió para dedicarme una amplia sonrisa, con un brillo de triunfo y chulería en los ojos.

«¿Por qué ha tenido que decir eso?», me pregunté mientras mis pensamientos regresaban a mis padres. ¿Mamá ya le habría dado la noticia a papá? ¿Estarían peleándose? ¿O llorando, quizás?

–Bianca.

Me di cuenta de que estaba mordiéndome el labio con demasiada fuerza al notar el sabor metálico de la sangre en la punta de la lengua. Parpadeé y vi que Wesley me observaba atentamente. Se quedó mirándome un buen rato; pero, en lugar de preguntarme qué pasaba o si estaba bien, simplemente cogió de nuevo el mando.

–Vamos –dijo–. Esta vez seré bueno contigo.

Me obligué a sonreír. Todo se arreglaría. Seguro que sí.

–No seas tonto –repuse–. Esta vez voy a darte una buena paliza. Simplemente he estado conteniéndome.

Wesley soltó una carcajada, pues sabía que no eran más que patrañas.

–Eso ya lo veremos.

Y empezamos otra partida.

15

En toda mi vida había oído un sonido tan fuerte. Era como si una bomba estallara justo al lado de mi oreja... una bomba que retumbaba al ritmo de *Thriller* de Michael Jackson. Me di la vuelta medio grogui, cogí el móvil que vibraba sobre la mesita de noche y le eché un vistazo a la hora antes de contestar. Las cinco en punto de la madrugada.

–¿Diga? –dije con voz ronca.

–Siento haberte despertado, cielo –dijo mamá a través del altavoz–. No habré despertado también a Casey, ¿verdad?

–Eh... no. ¿Estás bien? ¿Qué pasa?

–Me fui de casa hace unas dos horas –explicó–. Tu padre y yo tuvimos una larga charla, pero... no se lo tomó muy bien, Bianca. Aunque yo ya lo suponía. En fin, que he estado dando vueltas con el coche desde entonces, intentando averiguar qué hacer. He decidido quedarme unos días en un hotel de Oak Hill para poder pasar más tiempo contigo, y este fin de semana voy a empezar a mudarme a Tennessee. Tu abuelo necesita que alguien cuide de él. Es un buen lugar para vivir, ¿no crees?

–Claro –murmuré.

–Lo siento –se disculpó–. Debería haberte contado todo esto más tarde. Vuelve a dormirte. Llámame cuando salgas del instituto y te diré en qué hotel estoy. Podríamos ir a ver una película esta noche. ¿Qué te parece?

–Suena bien. Adiós, mamá.

–Adiós, cariño.

Volví a dejar el móvil en la mesita de noche y estiré los brazos por encima de la cabeza, conteniendo un bostezo. Esa cama, con su blando colchón y caras sábanas, era demasiado cómoda. Nunca me había costado tanto levantarme por la mañana, pero al final conseguí plantar los pies en la alfombra.

–¿Adónde vas? –preguntó Wesley medio dormido.

–A casa –contesté mientras me ponía los vaqueros–. Tengo que darme una ducha y prepararme para ir a clase.

Wesley se apoyó en un codo para mirarme. Tenía el pelo completamente alborotado: unos mechones castaños le caían sobre los ojos y tenía otros de punta en la nuca.

–Puedes ducharte aquí. Si tienes suerte, quizá te acompañe.

–No, gracias. –Cogí la chaqueta del suelo y me la colgué sobre los hombros–. ¿Despertaré a tus padres si salgo por la puerta principal?

–Eso sería difícil, teniendo en cuenta que no están.

–¿No volvieron a casa anoche?

–No volverán hasta dentro de una semana –me explicó–. Y después quién sabe cuánto se quedarán. Un día, tal vez dos.

Ahora que lo pensaba, nunca había visto otro coche en la entrada de la semimansión. Wesley siempre parecía ser la única persona que había en la casa cuando iba a verlo... que últimamente era muy a menudo.

–¿Dónde están?

–No me acuerdo. –Se encogió de hombros y se tumbó de nuevo de espaldas–. De viaje de negocios. De vacaciones en el Caribe. No puedo seguirles el ritmo.

–¿Y tu hermana?

–Amy se queda con nuestra abuela cuando mis padres están fuera. Que es prácticamente todo el tiempo.

Volví a la cama despacio.

–Bueno… –dije en voz baja mientras me sentaba en el borde del colchón–. ¿Y por qué no te quedas allí también? Seguro que a tu hermana le gustaría tenerte cerca.

–Puede –asintió Wesley–. Mi abuela, sin embargo, va de otro rollo. Me detesta. No aprueba mi –hizo un gesto con las manos representando unas comillas– estilo de vida. Al parecer, soy una deshonra para el apellido Rush y mi padre debería avergonzarse de mí. –Su risa sonó hueca–. Como mi madre y él son el paradigma de la perfección…

–¿Como se ha enterado tu abuela de tu… eh… estilo de vida?

–Sus amigas le cuentan los cotilleos. Esas viejas brujas oyen a sus nietas suspirar por mí, pero ¿quién puede culparlas?, y luego se lo chivan a mi abuela. Puede que le cayera bien si saliera en serio con una chica un tiempo, pero una parte de mí no quiere darle esa satisfacción. No debería tener que cambiar mi vida para contentarla. Ni a ella ni a nadie.

–Entiendo lo que quieres decir.

Y era verdad, porque yo había pensado lo mismo un millón de veces a lo largo de los años. Últimamente, incluso le concernía a él. Sería fácil cambiar la opinión que Wesley tenía de mí, quedar con personas diferentes o incluir a otra chica en mi círculo de amigas (como aquella alumna de primero del partido de baloncesto) para evitar ser la Duff. Pero ¿por qué debería hacer algo solo para modificar lo que él u otra persona pensaran de mí? No debería tener que hacerlo. Y tampoco él.

Sin embargo, de algún modo, su situación parecía diferente. Eché un vistazo alrededor de la habitación y me sentí idiota por compararlo siquiera con el tema de las Duff. Entonces, sin querer, le pregunté:

—Pero ¿no te sientes solo en esta casaza?

Ay, Dios mío. ¿De verdad estaba compadeciéndome de Wesley? ¿Wesley, el mujeriego? ¿Wesley, el ricachón? ¿Wesley, el cretino? De todas las emociones que había sentido por él, la lástima nunca había sido una de ellas. ¿Qué diablos estaba pasando?

Pero si había algo con lo que me identificaba eran los dramas familiares. Así que, al parecer, Wesley y yo teníamos algo en común. Por favor.

—Te olvidas de que casi nunca estoy solo. —Se sentó y me miró con una sonrisilla socarrona, aunque no le llegó a los ojos—. Tú no eres la única que me encuentra irresistible, Duffy. Normalmente tengo un torrente interminable de invitadas atractivas.

Me mordí el labio preguntándome si debería decir lo que estaba pensando. Al final, decidí soltarlo de una vez. Después de todo, no perdía nada.

—Oye, Wesley, puede que esto suene raro viniendo de mí, como te odio y todo eso... pero puedes contarme lo que quieras. —Parecía algo sacado de una cursi película de sobremesa. Genial—. Bueno, yo te solté todo el rollo de Jake; así que si quieres hacer lo mismo... bueno, me parece bien.

La sonrisilla vaciló un segundo.

–Lo tendré en cuenta. –Luego carraspeó y añadió con frialdad–: ¿No habías dicho que tenías que volver a casa? No querrás llegar tarde a clase.

–Sí, claro.

Empecé a ponerme de pie, pero me rodeó la muñeca con su cálida mano. Me volví y vi que me miraba. Se inclinó hacia delante y apretó sus labios contra los míos. Antes de darme cuenta siquiera de lo que estaba pasando, se apartó y susurró:

–Gracias, Bianca.

–Eh... de nada.

No supe cómo interpretar aquello. Las demás veces que Wesley y yo nos habíamos besado, había sido un feroz morreo parecido a una batalla. Una introducción al sexo. Nunca me había besado de una forma tan dulce y generosa, y me acojoné.

Pero no tuve tiempo de pensar en ello mientras bajaba corriendo las escaleras y atravesaba el vestíbulo. Cuando llegué a mi coche, tuve que pisar el acelerador (algo que odiaba inmensamente) durante todo el camino hasta casa, y aun así no llegué antes de las seis. Eso solo me dejaba una hora y media para ducharme, vestirme y ver cómo estaba papá. Qué manera tan fantástica de empezar el día.

Aún peor fue el hecho de que vi que las luces de la sala estaban encendidas cuando aparqué en la entrada. Eso no era una buena señal. Mi padre siempre (y digo siempre) apagaba todas las luces de la casa antes de acostarse. Lo consideraba una especie de ritual. El que las hubiera dejado encendidas era sin duda un mal presagio.

Oí los ronquidos en cuanto entré de puntillas y supe al

instante que había comprado más cervezas. Lo supe incluso antes de ver las botellas sobre la mesa de centro o su cuerpo inconsciente en el sofá. Se había emborrachado tanto que había perdido el conocimiento.

Empecé a avanzar, pero me detuve. Por mucho que quisiera, no tenía tiempo de limpiar el desastre. Necesitaba subir al piso de arriba y prepararme para ir al instituto. Y, mientras me dirigía sigilosamente a mi cuarto, me dije que mi padre se repondría. Solo estaba impresionado, pero todo se arreglaría, y ese... episodio pasaría sin incidentes. Además, no podía reprocharle que se hubiera tomado unas cervezas teniendo en cuenta la bomba que mamá le había soltado, ¿no?

Me di una ducha rápida y me sequé el pelo con el secador (algo que siempre me llevaba una eternidad: iba a tener que cortármelo como Casey en lugar de perder el tiempo) antes de ponerme una muda limpia. Después de cepillarme los dientes, regresé a la planta baja y fui a la cocina a buscar un bollo para el camino. Y, a continuación, salí por la puerta principal.

Cuando llegué al instituto, el aparcamiento para alumnos estaba casi lleno. Tuve que aparcar en la última fila y correr (con mi mochila de diez kilos a cuestas) hacia las puertas dobles. Así que, naturalmente, cuando llegué al pasillo principal ya estaba sin aliento. «Dios –pensé abatida mientras arrastraba mi culo gordo hacia la clase de Francés–, no me extraña que sea la Duff; estoy tan baja de forma que es deprimente.»

Bueno, por lo menos los pasillos estaban prácticamente vacíos. Eso significaba que nadie había tenido que presenciar mi patético avance.

—¿Adónde fuiste ayer? —me preguntó Jessica cuando me desplomé en mi pupitre segundos antes de que sonara el timbre—. No estuviste en el almuerzo ni en Inglés. Casey y yo estábamos un poco preocupadas.

—Salí antes.

—Pensaba que las tres íbamos a hacer algo por San Valentín para celebrar que ninguna tenemos pareja.

—Eso es un poco irónico, ¿no crees?

Suspiré y negué con la cabeza, intentando no mirar aquellos ojos grandes de expresión dolida. Dios, qué bien se le daba hacerme sentir culpable. Y sabía que iba a pagar por haberle colgado el teléfono a Casey anoche.

—Lo siento, Jessica. Ayer me surgió algo. Te lo cuento después de clase, ¿vale?

Antes de que pudiera contestarme, la señora Romali carraspeó y gritó:

—*Silence! Bonjour, mes amis.* Hoy vamos a empezar con el pretérito perfecto, y os advierto que es bastante difícil.

Y lo era. La señora Romali repartió una hoja de ejercicios que nos mantuvo ocupados hasta el final de la clase. Cuando sonó el timbre, estaba empezando a replantearme mi aprecio por el francés, y no era la única.

—¿Es demasiado tarde para cambiar de asignatura este semestre? —nos preguntó Angela a Jessica y a mí cuando salimos del aula.

—Como un mes demasiado tarde —le dije.

—Mierda.

—¡Adiós, Bianca! —me gritó Jessica mientras corría hacia su clase de Química—. ¡Nos vemos a la hora de comer!

Me despedí con la mano y bajé por el otro pasillo. Hoy, sin embargo, estaba deseando llegar a la clase de Política de nivel avanzado. Toby Tucker me había pedido que me sentara cerca de él. Ya no sería la chica solitaria del fondo de la clase. Nunca había pensado que mi situación cambiaría ni que me alegraría tanto cuando ocurriera. ¿Qué puedo decir? El aislamiento voluntario estaba empezando a molestarme.

Pero Toby no estaba allí. Su asiento se hallaba completa e inequívocamente vacío cuando entré en el aula (había llegado temprano por una vez, como le gustaba al señor Chaucer), y casi se me cae el alma a los pies... ¿A quién quiero engañar?, sí se me cayó. Al menos no tuve que sentarme sola. Jeanine prácticamente me arrastró hasta la parte delantera de la clase: por lo visto, se sentía perdida sin Toby para mantenerla entretenida. Aunque debió de decepcionarla que no se me diera igual de bien soltar ingeniosas ocurrencias sobre política que a su compañero habitual. Lo único que pude ofrecer fueron unos cuantos comentarios sarcásticos sobre la utilidad del sistema judicial. Dios, cómo echaba de menos a Toby.

Y el señor Chaucer también. El profesor pareció aburrirse con su propia explicación ininterrumpida y despidió la clase sin demasiado entusiasmo cuando sonó el timbre, sacando el labio inferior como un niño enfurruñado.

Para que luego digan que los profesores no tienen favoritos.

Me alivió salir de aquella clase, que parecía fría sin los esclarecedores comentarios de Toby, hasta que llegué a la cafetería.

La mesa del almuerzo no era precisamente un ambiente cálido y afectuoso ese día. Casey estuvo fulminándome con la mirada todo el rato, claramente cabreada porque le había colgado el teléfono la noche anterior. Pero, al parecer, no lo suficiente como para no reunirse con Jessica y conmigo después de clase para oír mis excusas.

Había prometido explicarles todo al terminar las clases. Por supuesto, eso quería decir que en cuanto sonó el último timbre me arrastraron hasta un baño vacío y empezaron a soltarme cosas como «¡escúpelo!» y «¡desembucha!» sin dejarme tomar aire siquiera.

Gemí y me deslicé por la fría pared de hormigón hasta sentarme en el suelo. Me rodeé las rodillas con los brazos y dije:

—Vale, vale. Resulta que mi madre se presentó aquí ayer por la tarde.

—¿Ya ha vuelto del viaje? —preguntó Jessica.

—No exactamente. Solo vino a hablar conmigo. Mi padre y ella van a divorciarse.

Jessica se cubrió la boca con una mano, horrorizada, y Casey se arrodilló a mi lado y me cogió la mano.

—¿Cómo estás, B.? —me preguntó olvidándose del enfado.

—Estoy bien —respondí.

Sabía que la noticia las afectaría más a ellas que a mí. Los padres de Casey habían pasado por un largo y tortuoso divorcio, y Jessica no era capaz de imaginarse nada más terrible y triste.

—¿Por eso te saltaste la reunión de San Valentín de anoche? —quiso saber Jessica.

—Sí —contesté—. Lo siento. Es que… no me sentía con ganas de celebrar nada.

—Deberías haber llamado —repuso Casey—. O haberme dicho algo anoche por teléfono. Te habría escuchado, ¿sabes?

–Sí, ya lo sé. Pero estoy bien, de verdad. Solo era cuestión de tiempo. Ya sabía que ocurriría. –Me encogí de hombros–. Y la verdad es que no me preocupa. Ya sabéis que mamá no ha estado mucho por aquí estos últimos años, así que todo seguirá prácticamente igual. Pero solo va a estar en el pueblo unos días, y tengo que irme ya –dije mientras me ponía de pie.

–¿Adónde vas? –preguntó Casey.

–Le dije a mamá que veríamos una peli juntas esta tarde. –Agarré mi mochila y me eché un vistazo en el espejo–. Lo siento. Ya sé que queréis hablar de ello y todo eso, pero es que mamá se marcha al final de la semana, así que...

–¿Seguro que estás bien? –insistió Casey con escepticismo.

Dudé con la mano levantada para apartarme unos mechones de la cara. Podría habérselo contado entonces. Podría haberles hablado de papá y las botellas de cerveza y lo confundida que estaba. Después de todo, eran mis mejores amigas. Se preocupaban por mí.

Pero ¿qué pasaría si delataba a mi padre? ¿Y si se corría la voz? ¿Qué pensaría la gente de él? No podía arriesgarme. Hasta imaginarme a mis mejores amigas juzgándolo me hacía sentir incómoda. A fin de cuentas, era mi padre. Y aquello no era más que una tontería. Solo estaba atravesando una mala racha. No había nada de lo que preocuparse.

–Segurísima –dije mientras me apartaba del espejo con una sonrisa forzada–. Pero debería irme ya. No quiero hacer esperar a mamá.

–Que te diviertas –murmuró Jessica, que todavía tenía los ojos muy abiertos en una expresión de inocente horror. Tal vez debería haberle dado la noticia con un poco más de tacto.

Casi había salido por la puerta del baño cuando Casey me llamó.

—Oye, B., espera un momento.

—Dime.

—Salgamos este fin de semana —propuso—. Para compensar por no haber quedado el día de San Valentín. Podríamos ir al Nest. Una noche de chicas. Será divertido. Hasta te compraremos helado.

—Claro. Te llamo luego, pero de verdad que tengo que irme.

Me despedí con la mano y salí corriendo del baño. Sí, claro que quería ver una película con mi madre, pero esa no era la razón de mi prisa. Tenía que hacer otra cosa primero.

En cuanto llegué al coche, no perdí ni un segundo en sacar el móvil. Marqué un número conocido y esperé hasta que me respondió una voz de hombre con tono profesional.

—Ha llamado a Tech Plus. Le atiende Ricky. ¿En qué puedo ayudarle?

Quería hablar con papá. Asegurarme de que estaba bien y decirle que saldríamos adelante. Darle mi apoyo y todo eso. Sabía que lo necesitaba. Después de la noche que había pasado, debía de estar teniendo un día horrible en el trabajo. Además, si yo estaba tomándome la noticia tan bien, lo mínimo que podía hacer era ayudarlo a superarlo.

—Buenas tardes, Ricky —dije—. ¿Se puede poner Mike Piper?

—Me temo que no. El señor Piper no ha venido hoy.

Me quedé allí sentada un momento, aturdida. Sabía qué significaba eso, pero me sacudí la preocupación que me atenazaba el estómago. Solo estaba sufriendo una fuerte resaca después de una mala noche. Probablemente hasta fuera más que suficiente para recordarle por qué había dejado de beber. Estaría bien mañana. O eso esperaba.

—Gracias, de todos modos —contesté—. Que tenga un buen día.

Colgué el teléfono y empecé a marcar otro número. Esta vez me respondió una mujer de voz clara y alegre.

—¿Diga?

—Hola, mamá. —Me esforcé por no sonar demasiado animada. Si me mostraba muy contenta, sabría que pasaba algo. Después de todo, yo no era una persona alegre—. ¿Todavía quieres ir a ver una peli esta noche?

—¡Ah, hola, Bianca! —exclamó mamá—. Sí, estaría genial. Oye, cielo, ¿has hablado con tu padre hoy? ¿Está bien? Es que anoche se disgustó mucho y estaba llorando cuando me fui.

Por su forma de hablar, me di cuenta de que no tenía ni idea de que papá había recaído, de que había tocado una botella siquiera. De lo contrario, su voz habría sonado mucho más tensa, llena de preocupación. Puede que incluso al borde del pánico. Pero parecía tranquila, solo un poco inquieta. Me molestó que estuviera tan ciega. Papá había dejado la bebida hacía casi dieciocho años, pero aun así la idea debería habérsele pasado por la cabeza. Sin embargo, no quise ser yo quien le diera la noticia.

—Está bien. Acabo de hablar con él por teléfono hace un momento. Esta noche va a trabajar hasta tarde, así que me viene bien ir al cine.

–Ah, vale. Me alegra oírlo –contestó mamá–. ¿Qué quieres ver? No tengo ni idea de qué hay en cartelera ahora mismo.

–Yo tampoco, pero estaba pensando que una comedia estaría bien.

16

Papá no estaba mejor al día siguiente. Ni al otro.

Volvió al trabajo a finales de semana, pero estaba segura de que yo no era la única que se había dado cuenta de que todo el tiempo tenía resaca. Ahora había siempre botellas de cerveza o whisky por la casa, y mi padre se pasaba el día desmayado en el sofá o encerrado en su cuarto. Pero nunca me lo mencionaba. Como si no me diera cuenta. ¿Qué se suponía que debía hacer yo? ¿Ignorarlo? ¿Fingir que no era un problema?

Quería decirle algo. Quería pedirle que lo dejara. Hacerle ver que estaba cometiendo un tremendo error. Pero ¿cómo? ¿Cómo convence a su padre una chica de diecisiete años de que ella sabe qué es lo mejor? Si intentaba detenerlo, podría ponerse a la defensiva. Podría pensar que yo también lo había abandonado. Podría enfadarse conmigo.

Puesto que papá había dejado de beber antes de que yo naciera, en realidad yo no sabía mucho acerca de todo el proceso de estar sobrio. Solo sabía que antes tenía un padrino: un tipo alto y calvo de Oak Hill al que mamá siempre le enviaba tarjetas de Navidad cuando yo era niña. Papá ya no hablaba de él, y estaba segura de que, aunque lo intentara, no sería capaz de encontrar su número. Y, aunque lo encontrara, ¿qué le diría? ¿Cómo funcionaba todo eso de los padrinos?

Me sentía impotente, inútil y, sobre todo, avergonzada. Sabía que, ahora que mamá no estaba, me correspondía a mí hacer algo. Pero no tenía ni la más remota idea de qué.

Así que, en las semanas posteriores a que mi madre se trasladara a Tennessee, me pasé la mayor parte del tiempo que estaba en casa evitando a mi padre. No lo había visto ebrio en mi vida, por lo que no sabía qué esperar. En lo único que podía basarme era en los fragmentos de conversaciones que había oído por casualidad de niña. Como que antes tenía mal carácter y siempre estaba furioso. No podía imaginarme así a mi padre, pero no quería tener que comprobarlo. Me quedaba en mi cuarto y él, en el suyo.

Seguía diciéndome a mí misma que aquello pasaría y, mientras tanto, me guardaría su pequeño secreto. Por suerte para mí, mamá era tan crédula que se lo tragaba cada vez que le decía por teléfono que todo iba bien, a pesar de mi escaso talento para la interpretación.

Sinceramente, pensé que ocultarle mis secretos a Casey sería lo más difícil. A fin de cuentas, siempre me calaba a la primera. Al principio intenté evitarla, ignorando sus llamadas e inventando excusas cuando me pedía que saliéramos. No llegué a llamarla para organizar la noche de chicas que había sugerido en el baño. Estaba segura de que me acribillaría a preguntas en cuanto estuviéramos solas, así que siempre intentaba usar a la pobre y despistada Jessica de escudo. Sin embargo, en menos de una semana, tuve la extraña sensación de que Casey estaba alejándose de mí. Me llamaba cada vez menos. Dejó de preguntarme si quería ir al Nest los fines de semana. Hasta le cambió el sitio a Jeanine a la hora de comer y se sentó al otro lado de la mesa (lo más lejos posible de mí). Un par de veces, incluso la pillé lanzándome miradas asesinas.

Quería averiguar qué diablos le pasaba, pero tenía miedo de hacerle frente. Sabía que si hablábamos del tema no sería capaz de seguir mintiendo sobre mi padre. A ella no. Pero era su secreto, su vergüenza, y yo no tenía derecho a contarlo. No permitiría que nadie, ni siquiera Casey, se enterase.

Por todo eso, de momento tuve que dejar pasar el extrañísimo comportamiento de mi amiga.

Wesley fue lo único que me ayudó a superar esas semanas. A una parte de mí le horrorizaba lo que estaba haciendo, pero ¿qué queréis que os diga? Necesitaba esa vía de escape (ese subidón) más que nunca, y siempre estaba a un corto paseo en coche. Una dosis tres o cuatro veces a la semana era lo único que necesitaba para mantenerme cuerda.

Por Dios, era como una maldita drogata. Puede que ya hubiera perdido la chaveta hacía tiempo.

—¿Qué harías sin mí? —me preguntó una noche.

Estábamos enredados en las sábanas de seda de su enorme cama. El corazón todavía me retumbaba mientras se me pasaba el subidón de lo que acabábamos de hacer, y no me ayudaba tener sus labios tan cerca de mi oreja.

—Vivir una vida… feliz —murmuré—. Puede que hasta… fuera optimista… si no fuera por ti.

—Mentirosa. —Me mordió el lóbulo de la oreja con actitud juguetona—. Estarías hecha polvo. Admítelo, Duffy, soy el viento bajo tus alas.

Me mordí el labio, pero aun así no pude contener la risa (y justo cuando por fin estaba recuperando el aliento).

—Acabas de hacer alusión a una canción de Bette Midler... en la cama. Estoy comenzando a cuestionarme tu sexualidad, Wesley.

Me miró con un brillo de desafío en los ojos.

—¿Ah, sí? —Sonrió antes de volver a acercar la boca a mi oído y susurrarme—: Los dos sabemos que mi sexualidad nunca ha estado en duda... Me parece que solo quieres cambiar de tema porque sabes que es verdad. Soy la luz de tu vida.

—Qué... —Me esforcé por encontrar las palabras mientras Wesley apretaba la boca contra la parte donde se unían mi cuello y mi hombro. La punta de su lengua se desplazó hasta mi hombro y perdí el hilo de mis pensamientos. ¿Cómo se suponía que iba a discutir en esas condiciones?—. Qué más quisieras. Solo estoy utilizándote, ¿recuerdas?

Su risa sonó apagada contra mi piel.

—Qué gracia —comentó sin dejar de rozarme la clavícula con los labios—. Porque estoy casi seguro de que tu ex ya no está en el pueblo. —Una de sus manos se deslizó entre mis rodillas—. Y, sin embargo, aquí sigues.

Empezó a mover los dedos arriba y abajo por la parte interna de mi muslo, dificultándome pensar una respuesta. Eso pareció gustarle, porque volvió a reírse.

—No creo que me odies, Duffy. Creo que te gusto mucho.

Me retorcí de manera incontrolable mientras sus dedos me acariciaban el interior de la pierna. Quería negarlo desesperadamente, pero estaba provocándome escalofríos que me subían por la espalda. Por fin, cuando pensé que iba a explotar, me colocó la mano en la cadera y apartó la boca de mi hombro.

–Ay, gracias a Dios –susurré cuando cogió un condón del cajón de la mesita de noche, pues sabía lo que venía a continuación.

–Supongo que está bien que no me importe tenerte por aquí –dijo con esa sonrisilla arrogante–. Ahora, deja que responda a todas esas dudas que dices que tienes sobre mi sexualidad.

Y mi mente volvió a quedarse en blanco.

Pero no podía negar que las cosas estaban yéndoseme de las manos. Un viernes por la tarde en clase de Inglés, me quedó perfectamente claro que algo no iba bien.

La señora Perkins estaba repartiendo unos trabajos que había corregido mientras hablaba sin parar de un libro de Nora Roberts que acababa de terminar de leer (sin darse cuenta de que nadie estaba escuchándola), cuando se detuvo junto a mi pupitre. Me dedicó una amplia sonrisa tonta, como la de una orgullosa abuela.

–Tu trabajo era maravilloso –me susurró–. Qué perspectiva tan interesante sobre Hester. Wesley y tú formáis un excelente equipo.

Luego me entregó una carpeta color canela y me dio una palmadita en el hombro.

Abrí la carpeta mientras se alejaba, un poco confundida por lo que me había dicho. Reconocí al instante la redacción que había dentro. «Análisis de las ansias de evasión de Hester, por Bianca Piper y Wesley Rush.» En la esquina superior izquierda, la señora Perkins había garabateado nuestra nota con brillante tinta roja. Nueve con ocho: un sobresaliente.

No pude evitar sonreír de oreja a oreja al mirar el trabajo. ¿De verdad había pasado solo un mes y medio desde que habíamos escrito eso en el cuarto de Wesley? ¿Desde la primera vez que nos habíamos acostado juntos? Parecía que hubiesen transcurrido décadas. Milenios, incluso. Miré a Wesley, que se sentaba en el otro extremo de la clase, y se me borró la sonrisa.

Estaba hablando con Louisa Farr. No, no solo hablando. Hablar únicamente implica la vibración de las cuerdas vocales y allí estaba pasando mucho más que eso. Wesley le había apoyado la mano en la rodilla, y ella estaba poniéndose colorada mientras él le dedicaba aquella sonrisa arrogante tan sexy.

¡No! Aquella sonrisa repulsiva. ¿Desde cuándo pensaba que semejante despliegue de arrogancia era sexy? ¿Y qué era esa extraña punzada que sentía en el estómago?

Aparté la mirada cuando Louisa empezó a juguetear con el collar: una clara señal de coqueteo.

«Zorra.»

Negué con la cabeza, sorprendida y algo preocupada. ¿Qué me estaba pasando? Louisa Farr no era una zorra. Vale, era una animadora pija (cocapitana del Escuadrón Flacucho), pero Casey nunca había dicho nada malo de ella. Solo estaba hablando con un chico guapo. Todas habíamos hecho lo mismo. Además, Wesley no estaba fuera del mercado ni nada por el estilo. No tenía una relación con nadie. Como yo, por ejemplo…

«¡Ay, Dios!», pensé al caer en la cuenta de lo que debía de significar aquella punzada en la barriga. «Ay, Dios. Estoy celosa. ¡Estoy muriéndome de celos! ¡Mierda!»

Decidí que debía de estar enferma. Tenía fiebre, el síndrome premenstrual o algo estaba afectando gravemente a mi equilibrio mental, porque ni por asomo podía estar celosa de que un casanova como Wesley le tirase los tejos a otra. Después de todo, él era así. El mundo habría dejado de girar si Wesley no flirteara con pobres chicas ingenuas. ¿Por qué habría de estar celosa? Eso era ridículo. Debía de estar enferma. Era la única explicación.

—¿Estás bien, Bianca? —me preguntó Jessica. Se volvió en la silla para mirarme—. Pareces cabreada. ¿Estás enfadada por algo?

—Estoy bien. —Pero pronuncié aquellas palabras con los dientes apretados.

—Vale —respondió ella. Dios, era igual de crédula que mi madre—. Oye, Bianca, creo que deberías hablar con Casey. Está algo disgustada y me parece que deberíais tener una charla. Tal vez hoy, después de clase, ¿qué te parece?

—Sí... claro.

Pero no estaba escuchando. Estaba demasiado ocupada ideando maneras de mutilar la perfecta y delicada cara de Louisa. Definitivamente, eso era un caso grave de síndrome premenstrual.

Salí disparada de aquella clase en cuanto sonó el timbre. Me explotaría la cabeza si tenía que volver a escuchar la risita tonta e infantil de Louisa mientras coqueteaba con Wesley. ¿Y qué si estaba flaca como un alambre y tenía las tetas del tamaño de pelotas de baloncesto? Seguro que era más tonta que una piedra.

«Basta —me dije a mí misma—. Louisa nunca me ha hecho nada. No tengo derecho a pensar eso de ella... incluso aunque sea boba.»

Tiré mis cosas dentro de la taquilla y corrí hacia la cafetería, deseando escapar del edificio del instituto. Estaba tan concentrada intentando no pensar en los celos inducidos por el síndrome premenstrual que no vi a Toby hasta que me detuve de golpe a quince centímetros de él.

–¿Tienes prisa? –me preguntó.

–Algo así –contesté con un suspiro–. Perdona por casi arrollarte.

–No pasa nada. –Jugueteó nervioso con las gafas–. Pero ¿te importaría aflojar el paso? Me gustaría hablar contigo.

No me sorprendió, Toby y yo habíamos trabado cierta amistad a lo largo de las últimas semanas. Más que nada, hablábamos en clase de Política; pero, oye, era una gran mejora. En realidad, ahora me sentía bastante cómoda con él. Aunque el corazón todavía se me aceleraba un poco cuando entraba en el aula, ya no me preocupaba quedarme sin habla.

–Claro –contesté. Al menos así pensaría en otra cosa durante unos minutos.

Toby sonrió y se puso a caminar conmigo.

–¿Puedes guardar un secreto? –me preguntó cuando llegamos a la cafetería, donde se habían congregado los alumnos esperando a que sonara el timbre que señalaría el final de las clases de aquel día.

–La mayor parte del tiempo. ¿Por?

–¿Recuerdas cuando falté a clase hace un par de semanas? ¿El día después de San Valentín?

–Ajá. Creo que fue el peor día en la vida del señor Chaucer. Pensé que iba a echarse a llorar cuando comprendió que no había nadie allí para hacerle la mayor parte del trabajo.

Toby se rió (aunque solo fue una pequeña carcajada) y continuó:

–Falté a clase… para hacer una entrevista. –Sacó un sobre grande del interior del *blazer* y susurró–: Solicité plaza en Harvard. Acabo de recibir la carta por correo esta mañana.

–¿Por qué es un secreto?

Se puso colorado de una forma monísima.

–No quiero acabar humillado si no me admiten –confesó.

–Te admitirán.

–No sé yo...

–Yo sí lo sé.

–Ojalá confiara tanto en mí como tú.

–Oh, vamos, Toby –le dije con seriedad–. Todos los grandes políticos (como senadores y presidentes) van a universidades estupendas. Tú vas a ser un gran político, así que tienen que admitirte. Además, eres uno de los chicos más listos del último curso. Eres el primero de la promoción, ¿no?

–Sí –asintió mientras miraba el sobre con el entrecejo fruncido–. Pero... pero es Harvard.

–Y tú eres Toby. –Me encogí de hombros–. Aunque no te admitieran, hay otro millón de universidades que matarían por tenerte. Pero eso no importa, porque sé que te han admitido. Hazte un favor y abre esa carta.

Toby se detuvo en medio de la cafetería y me sonrió.

–¿Lo ves? Por eso quería que fueras tú la que estuviera conmigo cuando la abriera. Sabía que serías...

Lo interrumpí.

–Aunque estoy convencida de que las palabras que ibas a decir iban a ser increíblemente dulces, estoy cien por cien segura de que estás dándole largas al asunto. Abre la carta, Toby. Incluso un rechazo es mejor que hacerte esto. Te sentirás mejor si la lees.

—Sí, lo sé. Es que…

—Ya.

Mientras Toby rasgaba el sobre, me di cuenta de lo raro que era todo eso. Había acudido a mí con ese tema tan personal en busca de apoyo, de ánimo. En enero, nunca me hubiera imaginado ordenándole a Toby Tucker que abriera su carta de admisión. En realidad, nunca me hubiera imaginado hablando con él, y punto.

Vaya, vaya, cómo habían cambiado las cosas. Para mejor, claro.

Toby sacó la carta del sobre roto con dedos temblorosos y empezó a leer. Vi cómo sus ojos recorrían la página y se abrían mucho. ¿Eso era una señal de alegría o de tristeza? ¿De asombro, tal vez? ¿Le sorprendía que lo hubieran admitido o que lo hubieran rechazado?

—¿Y bien?

—Me… me han aceptado. —Dejó caer el papel y este flotó con elegancia hasta el suelo—. ¡Bianca, he entrado!

Me agarró por los hombros, me acercó a él y me rodeó con los brazos. Esa era otra cosa que en enero nunca hubiera esperado que ocurriera.

—Ya te lo he dicho —contesté devolviéndole el abrazo.

Por encima de su hombro, divisé a Casey y Jessica atravesando la cafetería. Estaban mirándome mientras se abrían paso entre la multitud de estudiantes y me vieron entre los brazos de Toby. Pero, por alguna razón, las expresiones de sus rostros no reflejaban la felicidad que yo sentía. Jessica parecía algo triste, pero Casey… Bueno, ella parecía completamente furiosa. ¿Por qué? ¿Qué les pasaba?

Toby me dio un apretón antes de soltarme y arrodillarse para recoger la carta.

–No puedo creérmelo. Mis padres no van a creérselo.

Aparté la mirada de mis amigas mientras desaparecían detrás de un grupo de alumnos de primero y volví a concentrarme en el chico de sonrisa radiante que tenía delante.

–Si te conocen algo, no les costará creérselo –le aseguré–. Hace mucho tiempo que todos sabemos que estás destinado a grandes cosas. Por lo menos, yo lo sé desde hace años.

Toby parecía sorprendido.

–¿Años? Pero solo llevamos hablando unas semanas.

–Pero hemos compartido clases desde primero –le recordé–. No hacía falta que habláramos para darme cuenta de que eras asombroso. –Sonreí y le di una palmada en la espalda–. Y acabas de demostrar que tenía razón.

Sonó el timbre y me volví hacia las puertas que conducían al aparcamiento para alumnos.

–Hasta luego. Y ¡felicidades!

–Vale. Gracias, Bianca.

Mientras me dirigía hacia las puertas dobles, me pregunté si habría hablado demasiado. ¿Había quedado casi como una acosadora? Dios, esperaba que no. Lo último que quería era asustar al pobre chico después de menos de un mes de auténtico contacto humano. Eso me convertiría en una perdedora.

Estaba a punto de abrir la puerta que llevaba al aparcamiento cuando un fuerte «¡ejem!» llamó mi atención. Me volví y vi a Casey apoyada contra la vitrina para trofeos casi vacía del instituto, con los brazos cruzados sobre el pecho. La manera en la que miraba con los ojos entrecerrados me irritó de inmediato.

–¿Qué pasa? –le pregunté.

Casey frunció el ceño y dejó caer con fuerza los brazos a los costados.

–Nada –refunfuñó–. ¡Olvídalo!

–Casey, ¿de qué estás...?

–Ahora no, B. –Dio media vuelta y empezó a alejarse de mí dando unos buenos pisotones–. Tengo entrenamiento de animadoras.

Me llevé las manos a las caderas de manera automática.

–Pero ¿a ti qué te pasa? –le espeté–. Estás comportándote como una auténtica gilipollas.

Casey se detuvo y me miró por encima del hombro.

–¿Yo soy la gilipollas? Tú me ignoras a mí, ¿y yo soy la gilipollas? ¡Joder, Bianca! –Negó con la cabeza–. Da igual. No pienso tener esta conversación ahora. No cuando se suponía que íbamos a tenerla hace diez minutos, como le has dicho a Jessica. Pero supongo que estabas demasiado ocupada echándote encima de ese friki como para...

–Criticar a Toby es lo que haría una gilipollas, Casey –le solté. ¿Cómo se atrevía? Ella sabía que me gustaba. ¡Sabía que el que me prestara la más mínima atención era una pasada! ¿Lo sabía, y aun así me lo echaba en cara?–. ¡Estás comportándote como una animadora pija y esnob!

Le relampaguearon los ojos y, durante un segundo, dio la impresión de que iba a abalanzarse sobre mí. Pensé seriamente que iba a acabar envuelta en una pelea de gatas con mi mejor amiga justo delante de las puertas del aparcamiento.

Pero Casey se alejó sin decir una palabra, sin emitir ni un sonido siquiera. Simplemente se dirigió al gimnasio, dejándome enfadada y completamente confundida.

Ya me había peleado antes con Casey: tiene que pasar tarde o temprano cuando se mantiene una amistad tanto tiempo como nosotras. Pero esa discusión realmente me desconcertó, sobre todo porque no sabía de qué iba Casey. Crucé el aparcamiento hecha una furia mientras trataba de averiguar qué podría haberle hecho para merecerme semejante espectáculo. Era evidente que la había cabreado de algún modo.

Y, naturalmente, las cosas se pusieron aún peor.

Mi coche no quería arrancar. Lo intenté una y otra vez, pero sin resultado. La batería estaba completamente muerta.

—¡Joder! —grité dándole un puñetazo al volante.

Lo que me faltaba. ¿El día no había sido lo bastante malo? ¿Mi vida no había sido lo bastante mala? Era como si nada me saliera bien nunca.

—¡Mierda! ¡Maldita sea! Arranca, pedazo de...

—¿Tienes problemas con el coche, Duffy?

Hice una pausa en mi diatriba para fulminar con la mirada a la molesta sombra. Abrí la puerta y le dije a Wesley:

—Esta mierda de coche no quiere arrancar.

Entonces vi a la chica que había a su lado. Flaca y con tetas grandes, pero no era Louisa Farr. Aquella chica era más guapa. Tenía un rostro redondo y dulce, pelo castaño rizado que le llegaba hasta los hombros y grandes ojos grises. Era más bonita que yo, por supuesto. Probablemente se trataba de una alumna de primero que con solo echarle un vistazo a la sonrisa sexy de Wesley y su brillante cochazo había dejado que se la llevara al huerto. Aquella punzada de celos me abrumó de nuevo. Síndrome premenstrual, solo era eso.

—¿Quieres que te lleve? —se ofreció.

—No —respondí con rapidez—. Voy a llamar a...

Pero ¿a quién podía llamar? Mamá estaba en Tennessee, papá estaba trabajando y Casey tenía entrenamiento con las animadoras. Aunque eso tampoco importaba. De todas formas, estaba cabreada conmigo, y tanto a ella como a Jess las llevaban siempre en coche sus padres (o yo). ¿Quién iba a venir a recogerme?

—Vamos, Duffy —insistió Wesley sonriéndome—. Sabes que quieres venir conmigo. —Se inclinó para mirarme a los ojos—. ¿Qué es lo peor que podría pasar?

—No hace falta.

Ni por lo mejor del mundo iba a subirme en el mismo coche que Wesley y su última conquista. No, ni hablar.

—No seas ridícula. Puedes llamar a alguien después. No tiene sentido que te quedes en el aparcamiento hasta que anochezca. Solo tengo que dejar a Amy y luego puedo llevarte a casa.

«Amy —pensé—. Así se llama la muñequita.»

Entonces se me encendió la bombilla. ¡Ay, Dios mío! ¡Amy! ¡Amy era su hermana! Miré a la chica otra vez, preguntándome cómo no me había dado cuenta antes. Pelo castaño rizado, ojos gris oscuro y muy atractiva: el parecido era evidente. Me sentí como una auténtica idiota.

Wesley se estiró y sacó las llaves del contacto.

—Está bien —cedí sintiéndome mucho mejor. Recuperé mis llaves y me las guardé en el bolso—. Déjame coger mis cosas.

En cuanto tuve todo lo que necesitaba, cerré las puertas y seguí a Wesley hasta su coche. Era fácil de encontrar, puesto que era el único Porsche del aparcamiento.

—Bueno, Duffy —dijo Wesley mientras se subía al asiento del conductor. Yo me senté atrás para que Amy (que al

parecer era introvertida) pudiera ir delante con su hermano–. Ahora no te quedará más remedio que admitir que,
de vez en cuando, hago cosas buenas por la gente.

–Nunca he dicho lo contrario –repuse mientras intentaba situarme en el estrecho asiento trasero. Por Dios, para
ser tan caros, esos coches no tenían espacio para las piernas. Tuve que sentarme de lado con las rodillas pegadas al
pecho. No era nada cómodo–. Pero solo lo haces cuando
obtienes algún beneficio.

Wesley soltó una risita burlona.

–¿Has oído eso, Amy? ¿Puedes creer lo que piensa de
mí?

–Estoy segura de que Amy sabe cómo eres.

Wesley se quedó en silencio. Amy se rió, pero parecía
un poco nerviosa.

Su hermana no dijo gran cosa durante el viaje, aunque
Wesley intentó varias veces que se uniera a nuestra conversación. Al principio me pregunté si sería por mí, pero
no tardé en darme cuenta de que simplemente era tímida. Cuando aparcamos en la entrada de una casa grande
y anticuada (que supuse que era de la abuela de Wesley),
Amy se volvió hacia el asiento trasero y dijo en voz baja:

–Adiós. Encantada de conocerte. –Acto seguido, salió
pitando del coche.

–Es maja –dije.

–Tiene que salir del caparazón.

Wesley suspiró mientras la veía subir rápidamente al
porche. En cuanto desapareció dentro de la enorme casa
(no era una semimansión, como la suya, pero era evidente
que su abuela también tenía dinero), me miró.

–Puedes sentarte delante, si quieres.

Asentí con la cabeza y salí del coche. Abrí la puerta del copiloto y ocupé el asiento que Amy acababa de dejar. Justo cuando terminé de abrocharme el cinturón, oí que Wesley dejaba escapar un gemido bajo.

–¿Qué pasa? –pregunté levantando la mirada. Pero supe la respuesta antes de que dijera nada.

Una mujer de sesenta y tantos años acababa de salir de la casa y se dirigía hacia el coche. Se trataba de la abuela de Wesley, sin duda. La abuela que lo odiaba. No era de extrañar que pareciera como si Wesley quisiera esconderse. Me sentí un tanto inquieta mientras observaba cómo la mujer se acercaba al coche con aire resuelto. Iba muy bien vestida, con un jersey color salmón que parecía caro y unos pantalones con la raya perfectamente planchada.

Wesley bajó la ventanilla cuando la mujer se acercó lo suficiente como para oírlo.

–Hola, abuela Rush. ¿Cómo estás?

–No juegues conmigo, Wesley Benjamin. Ahora mismo, estoy muy furiosa.

Pero no sonaba furiosa. Tenía una voz aguda y suave. Sedosa. Parecía la viejecita más dulce del mundo, pero sus palabras no encajaban en ese papel.

–¿Qué he hecho esta vez? –preguntó Wesley con un suspiro–. ¿Llevar los zapatos equivocados? ¿O es que el coche no está lo suficientemente limpio? ¿Qué leve imperfección vas a reprocharme esta tarde?

–Te sugiero que te abstengas de emplear ese tono conmigo –dijo con la voz menos intimidante que se pueda imaginar. Habría resultado divertido si Wesley no pareciera tan infeliz–. Vive tu vida como quieras, pero deja a Amy al margen.

–¿Amy? ¿Se puede saber qué le he hecho a Amy?

–Por el amor de Dios, Wesley –protestó su abuela con un suspiro teatral–. ¿Por qué no dejas que Amy coja el autobús y ya está? No me parece bien que la lleves con tus... –hizo una pausa– amiguitas en el asiento de atrás.

Miró más allá de Wesley y nuestras miradas se encontraron un instante antes de que volviera a concentrarse en su nieto.

–No quiero que sean una influencia negativa para tu hermana.

Me quedé confundida un segundo. Yo sacaba sobresalientes en todas las asignaturas y no me había metido en ningún problema en toda mi vida. Y, sin embargo, aquella mujer pensaba que podría perjudicar de alguna forma a su queridísima nieta.

Y entonces caí en la cuenta. Ella creía que yo era una de las golfas de Wesley, una guarrilla a la que se tiraba. Wesley me había contado que su abuela no aprobaba su «estilo de vida», que odiaba que fuera tan promiscuo. Y, al verme en el asiento trasero del coche, su abuela había supuesto que yo era otra ramera que había recogido.

Aparté la vista y miré hacia fuera por mi ventanilla para no tener que ver la expresión de repugnancia que se reflejó en el rostro de la anciana. Me sentía dolida y enfadada. Sobre todo porque sabía que era verdad.

–Eso no es asunto tuyo –gruñó Wesley. Nunca había oído tanta furia en su voz–. No tienes ningún derecho a faltarle el respeto a mi amiga y, desde luego, tú no eres nadie para decidir qué hago con mi hermana. Deberías conocerme lo suficiente para saber que nunca haría nada que la perjudicase, a pesar de lo que le has hecho creer. No soy el monstruo que le dices que soy, ¿sabes?

—Creo que, a partir de hoy, debería ir yo a buscar a Amy al instituto.

—Adelante. Pero no me mantendrás alejado de ella. Es mi hermana, y a mis padres les dará un ataque si les cuento que estás intentando romper nuestra familia, abuela.

—Me temo que tu familia ya está rota, querido.

Oí un zumbido, lo que me indicó que Wesley había vuelto a subir la ventanilla, y el motor aceleró. Vi cómo la mujer regresaba a la casa. A continuación, Wesley salió marcha atrás de la entrada haciendo chirriar los neumáticos y bajó por la calle a toda velocidad. Lo miré de reojo, preocupada y sin saber qué decir. Por suerte, él habló primero.

—Lo siento. No sabía que iba a salir. No debería haberte tratado así.

—No pasa nada —le aseguré.

—Claro que pasa. Es una arpía.

—Ya me he dado cuenta.

—Y lo peor de todo es que tiene razón.

—¿Sobre qué? —le pregunté.

—Sobre nuestra familia. Tiene razón. Está rota. Lo está desde hace mucho tiempo. Mis padres nunca están y la abuela ha conseguido interponerse entre Amy y yo.

—Amy todavía te quiere.

—Tal vez —murmuró—, pero no tiene una buena opinión de mí. Mi abuela la ha convencido de que soy un hijo de puta. He notado cómo me mira Amy ahora. Me mira con tristeza, como si la hubiera decepcionado. Piensa que soy una persona horrible.

—Lo siento —dije en voz baja—. Si lo hubiera sabido, no habría hecho esa broma sobre que solo haces cosas buenas para... para obtener beneficios.

–No pasa nada. –El coche estaba reduciendo un poco la velocidad–. La verdad es que tienes razón. Y mi abuela, también. Pero nunca quise que Amy me viera así.

No pude resistir el impulso de estirar el brazo por encima de la palanca de cambios y colocar la mano sobre la de Wesley. Tenía la piel cálida y suave y noté su pulso palpitando a ritmo constante bajo la palma de mi mano. Me olvidé de mi estúpido coche y de la pelea con Casey. Solo quería que Wesley volviera a sonreír. Incluso me habría bastado aquella sonrisilla arrogante. No soportaba verlo tan dolido ante la posibilidad de perder el respeto de su hermana. Me importaba y quería consolarlo.

Ay, Dios mío. ¿De verdad me importaba?

17

El Porsche se detuvo en la entrada de mi casa diez minutos después. Cogí mis cosas y estiré la mano hacia la manilla de la puerta.

–Gracias por traerme. –Al mirar por encima del hombro, vi que Wesley seguía de mal humor. Bueno, al cuerno. ¿Por qué no?–. Puedes entrar si quieres. Mi padre no ha llegado a casa todavía.

Wesley me sonrió mientras apagaba el motor.

–Tienes la mente muy sucia, Duffy. Parece que intentas corromperme.

–A ti ya hace mucho tiempo que te han corrompido –le aseguré.

Salimos del coche y subimos juntos por el camino de entrada. Saqué las llaves del bolso, abrí la puerta principal y dejé que Wesley entrara delante de mí. Vi cómo su mirada recorría la sala de estar y no pude evitar sentirme un poco cohibida. Debía de estar comparando mi casa con su semimansión. Aunque, evidentemente, no había punto de comparación. Yo ni siquiera vivía en una casa de revista, como Jessica.

–Me gusta –dijo, y luego me miró–. Es acogedora.

–Eso es una forma amable de decir pequeña, ¿no?

–No. Lo digo en serio. Es cómoda. Mi casa es demasiado grande, incluso para cuatro personas, y como yo soy el único por allí la mayor parte del tiempo... Me gusta más la tuya. Es acogedora, como te he dicho.

–Gracias. –Me sentí halagada. No es que me importara lo que él pensara, pero...

–¿Dónde está tu cuarto? –preguntó guiñándome un ojo.

–Me lo veía venir. Y, ahora, ¿quién está corrompiendo a quién?

Lo cogí por el codo y lo conduje escaleras arriba.

–Aquí. –Señalé la primera puerta–. Pero te advierto que es del tamaño de una caja de zapatos.

Wesley abrió la puerta y echó un vistazo dentro. Luego me miró con aquella sonrisilla conocida.

–Tendremos suficiente espacio.

–¿Suficiente espacio para qué?

Antes de darme cuenta, Wesley me había agarrado por las caderas y estaba metiéndome en el cuarto. Cerró la puerta con el pie detrás de nosotros, me hizo dar media vuelta y me pegó a la pared, donde empezó a besarme con tanta pasión que pensé que iba a estallarme la cabeza. Al principio, me sorprendí; pero, en cuanto se me pasó, respondí. Le rodeé el cuello con los brazos y le devolví el beso. Wesley me apretó más fuerte la cintura y me bajó los vaqueros todo lo que pudo sin desabrocharlos. A continuación, deslizó las manos por debajo de la cinturilla elástica de mis braguitas y me frotó la piel ardiente y hormigueante con los dedos. Después de unos minutos, separó su boca de la mía.

–¿Puedo pedirte algo, Bianca?

–No –respondí rápidamente–. No voy a chupártela. Ni de coña. Solo pensarlo me parece repugnante, degradante y... No. Ni hablar.

—Aunque eso es un poco decepcionante —dijo Wesley—, no es lo que pensaba pedirte.

—Ah. —Vaya corte—. Bueno, entonces, ¿qué?

Sacó las manos de mis pantalones y las colocó con suavidad sobre mis hombros.

—¿Me dices de qué intentas escapar ahora?

—¿Qué?

—Sé que tu ex novio se fue del pueblo hace semanas, pero noto que todavía hay algo que te preocupa. Aunque me gustaría creer que es por mí, porque no puedes vivir sin mí, sé que hay algo más. ¿De qué estás huyendo, Bianca?

—De nada.

—No mientas.

—No es asunto tuyo, ¿vale?

Lo aparté y volví a ponerme los vaqueros. De manera automática, me arrodillé junto a la pila de ropa limpia a los pies de la cama y me puse a doblarla.

—Hablemos de otra cosa.

Wesley se sentó en el suelo a mi lado.

—Vale —cedió.

Reparé en que había puesto esa voz que indica que la persona esperará pacientemente hasta que se lo cuentes todo. La que se usa con los niños. Pues lo sentía por él, pero eso no iba a pasar. Después de todo, no era más que mi juguete sexual, no mi psiquiatra.

Hablamos de las clases mientras yo doblaba la ropa. Cuando la tuve toda en pilas ordenadas, me levanté y me senté en la cama.

—¿No vas a guardarla? —me preguntó Wesley.

—No.

—Entonces, ¿para qué la doblas?

Me tumbé de espaldas con un suspiro y me saqué las zapatillas con los pies.

–No lo sé –admití apoyando la cabeza en la almohada y mirando al techo–. Supongo que es una especie de manía. Doblar la ropa cada noche me hace sentir mejor. Es relajante y me despeja la mente. Luego, a la mañana siguiente, rebusco en las pilas lo que voy a ponerme y todo se desordena, por lo que vuelvo a doblarla esa noche. Es como un ciclo.

La cama crujió cuando Wesley se me subió encima y se metió entre mis rodillas.

–¿Sabes una cosa? –dijo mirándome desde arriba–. Eres bastante rara. O, más bien, neurótica.

–¿Yo? –Solté una carcajada–. Tú eres el que está intentando llevarme al huerto otra vez apenas diez segundos después de un intento fallido de tener una charla íntima. Yo diría que los dos estamos bastante jodidos.

–Muy cierto.

Empezamos a besarnos de nuevo. Esta vez sus manos se dirigieron a mi camiseta y me desabrocharon el sujetador. No había mucho espacio en mi pequeña cama individual, pero aun así Wesley se las arregló para desnudarme de cintura para arriba y desabrocharme los vaqueros en tiempo récord. Empecé a desabrocharle también a él los pantalones, pero me detuvo.

–No –repuso apartándome la mano–. Puede que estés en contra de chuparla, pero tengo el presentimiento de que esto te gustará.

Abrí la boca para protestar, pero la cerré rápidamente cuando sus labios emprendieron una ruta descendente por mi vientre. Sus manos comenzaron a bajarme los vaqueros y las braguitas hacia las rodillas; una de ellas realizó una breve pausa para hacerme cosquillas en aquel punto encima de la cadera, provocándome una sacudida entre risas. Sus labios fueron bajando cada vez más y me sorprendió descubrir que estaba ansiando que llegaran a su destino final.

Había oído a Vikki, e incluso a Casey, hablar de cómo sus novios les habían hecho sexo oral y de lo agradable que era. Lo había oído, pero no me lo había creído del todo. Jake y yo nunca lo habíamos hecho, y yo siempre había supuesto que era algo asqueroso y raro.

Al principio sí fue un poco raro, pero luego ya no. Era... diferente, pero en el buen sentido. Y obsceno, reprobable, alucinante... Hundí los dedos en las sábanas, aferrando la tela con fuerza, y me temblaron las rodillas. Estaba sintiendo cosas que nunca había sentido.

—Ah... oh. —Jadeé de placer y sorpresa y...

—Mierda.

Wesley se apartó de mí bruscamente. Él también había oído cerrarse de golpe la puerta de un coche. Eso quería decir que mi padre estaba en casa.

Me subí las braguitas y me abroché los vaqueros a toda prisa, pero tardé un momento en encontrar el sujetador. En cuanto estuve completamente vestida, me arreglé el pelo con las manos e hice todo lo que pude para que no pareciera que me habían pillado con las manos en la masa.

—¿Me voy? —preguntó Wesley.

—No —contesté sin aliento. Noté que no quería regresar a la semimansión vacía—. Quédate un rato. No pasa nada. A mi padre no le importará. Pero no podemos hacer... eso.

—¿Y qué más podemos hacer?

Así que, como auténticos fracasados, nos pasamos las siguientes cuatro horas y media jugando al Scrabble. En el suelo de mi minúsculo cuarto casi no había espacio para que alguien tan alto como Wesley se estirase boca abajo, pero se las arregló, y yo me senté frente a él con el tablero entre nosotros mientras deletreábamos palabras como «quijotesco» y «hegemonía». No fue exactamente la noche de viernes más emocionante del mundo, pero me divertí mucho más que si hubiera ido al Nest o a alguna patética fiesta en Oak Hill.

A eso de las nueve, después de haberlo destrozado tres veces (¡por fin algo a lo que podía ganarle!), Wesley se puso en pie.

—Creo que debería volver a casa —dijo con un suspiro.

—Vale. —Yo también me levanté—. Te acompaño abajo.

Estaba de tan buen humor que había conseguido olvidarme de papá... hasta que nos topamos con él en la sala de estar. Olí el whisky antes de ver la botella sobre la mesa de centro y me puse colorada de la vergüenza. «Por favor, que no se dé cuenta», pensé mientras acompañaba a Wesley a la puerta principal. Supongo que debería haber empezado a preocuparme cuando mi padre no había subido a comprobar de quién era el Porsche que había en la entrada. A fin de cuentas, no era habitual encontrarse un coche como ese delante de nuestra casa.

Puede que Wesley no le hubiera dado importancia al asunto. Después de todo, era viernes por la noche. Los padres podían beber whisky los fines de semana... Bueno, los que no fueran alcohólicos en rehabilitación, pero Wesley no sabía esa parte de la historia. Mientras mi padre se comportara con normalidad, no pasaría nada.

Pero, por supuesto, no iba a tener esa suerte.

—¡Abejita! —exclamó papá, y noté que ya estaba pedo. Genial. De puta madre. Se puso en pie tambaleándose y miró hacia la puerta principal, donde estábamos Wesley y yo—. Hola, abejita, no sabía que estuvieras en casa. ¿Qué tenemos aquí? —Miró a Wesley con suspicacia—. ¿Un chico?

—Eh... papá, este es Wesley Rush —dije tratando de mantener la calma—. Es un amigo de clase.

—Un «amigo»... Seguro que sí. —Cogió la botella de whisky antes de dar unos cuantos pasos vacilantes hacia nosotros, observando a Wesley con los ojos entrecerrados—. ¿Te has divertido en el cuarto de mi pequeña, chico?

—Por supuesto —contestó Wesley. Era evidente que intentaba actuar como uno de esos inocentones chicos de las series de televisión de los cincuenta—. Hemos jugado tres partidas al Scrabble. Su hija es muy buena con las palabras, señor.

—¿Scrabble? No soy idiota. Eso debe de ser un nuevo código para... para el sexo oral —gruñó papá.

Debí de ponerme como un tomate. ¿Cómo lo sabía? ¿Podía leerme la mente? No, por supuesto que no. Simplemente estaba borracho y lanzaba acusaciones, y parecer culpable no haría más que empeorar las cosas. Me eché a reír como si fuera ridículo, como si fuera un chiste. Wesley siguió mi ejemplo e hizo lo mismo.

—Claro, papá. Y el coito es el Monopoli, ¿verdad?

—¡No estoy de broma! —me espetó mientras agitaba la botella y derramaba whisky en la alfombra. Estupendo. Yo sería la que tendría que limpiarlo—. Sé lo que está pasando. He visto cómo se visten las zorras de tus amigas, Bianca. Se te está pegando su forma de ser, ¿no?

No pude seguir obligándome a reír.

–Mis amigas no son unas zorras –susurré–. Estás como una cuba y no sabes lo que dices. –En un arranque de valor, estiré el brazo y le arrebaté la botella de la mano–. No deberías beber más, papá.

Me sentí bien durante un segundo. Eso era lo que debería haber hecho desde el principio: coger el toro por los cuernos y quitarle la botella. Me sentí poderosa, como si pudiera arreglar las cosas.

–Mejor me voy –dijo Wesley a mi espalda.

Empecé a darme la vuelta para despedirme, pero las palabras no llegaron a salir de mi boca. Sentí que se me escapaba la botella de la mano y oí cómo se estrellaba contra el suelo a mi lado. Caí al suelo, pero durante un instante no comprendí qué había ocurrido. Entonces sentí con retraso un dolor en la sien que me dejó asombrada. Era como si algo me hubiera golpeado. Algo duro como la palma de la mano de mi padre. Levanté una mano y me froté la cabeza, atónita, sin sentir apenas el dolor propiamente dicho.

–¿Lo ves? –chilló papá–. Los chicos no se quedan con las putas, Bianca. Las abandonan. Y no pienso permitir que te conviertas en una puta. Eso no le pasará a mi hija. Esto es por tu propio bien.

Alcé la vista mientras mi padre estiraba la mano para agarrarme del brazo. Cerré los ojos con fuerza, esperando sentir cómo sus dedos se cerraban alrededor de mi antebrazo. Pero no sucedió.

Oí un ruido fuerte y seco y papá dejó escapar un gruñido de dolor. Abrí los ojos de golpe y vi a Wesley apartándose de mi padre, que se masajeaba la mandíbula con una mirada de incredulidad.

—Pero ¿serás gilipollas…?

—¿Estás bien? —me preguntó Wesley arrodillándose delante de mí.

—¿Acabas de pegarle un puñetazo a mi padre?

No pude evitar preguntarme si no estaría delirando. ¿De verdad había pasado todo eso? Qué situación más estrambótica.

—Sí —admitió Wesley.

—¿Cómo te atreves a tocarme? —gritó mi padre, pero le estaba costando mantener el equilibrio el tiempo suficiente para volver a acercarse a nosotros—. ¿Cómo te atreves a follarte a mi hija y luego pegarme, hijo de puta?

Nunca había oído a mi padre soltar tantas palabrotas.

—Venga —dijo Wesley mientras me ayudaba a ponerme en pie—. Salgamos de aquí. Te vienes conmigo.

Me rodeó con un brazo, acercándome a su cálido cuerpo, y me hizo salir por la puerta abierta.

—¡Bianca! —gritó papá detrás de nosotros—. ¡Más te vale no subirte a ese maldito coche! ¡Más te vale no salir de esta casa! ¿Me oyes, puta?

El trayecto hasta casa de Wesley transcurrió en silencio. Lo vi abrir la boca varias veces como si fuera a decir algo, pero siempre volvía a cerrarla. Yo, por mi parte, estaba demasiado estupefacta como para decir nada. No es que me doliera mucho el golpe, simplemente no me cabía en la cabeza lo que había hecho papá. Pero lo peor era la vergüenza. ¿Por qué? ¿Por qué había tenido Wesley que presenciarlo? ¿Qué pensaría ahora de mí? ¿Qué pensaría de papá?

—Nunca había pasado algo así —dije rompiendo el silencio cuando aparcamos en la entrada de la semimansión.

Wesley apagó el motor y me miró–. Mi padre nunca me había pegado... ni siquiera gritado así hasta ahora.

–Vale.

–Solo quiero que sepas que eso no es lo normal entre nosotros –le expliqué–. No me maltratan en casa ni nada por el estilo. No quiero que pienses que mi padre es una especie de psicópata.

–Tenía la impresión de que no te importaba lo que pensara la gente.

–De mí. No me importa lo que piensen de mí. –No supe que era mentira hasta que las palabras salieron de mi boca–. Pero con mi familia y mis amigos es diferente... Mi padre no es un psicópata. Solo está pasando por un mal momento.

Pude sentir que se me estaba formando un nudo en la garganta e intenté tragármelo. Necesitaba explicarme, y Wesley necesitaba saberlo.

–Mi madre acaba de solicitar el divorcio y... y mi padre no ha podido soportarlo.

El nudo no quería desaparecer, era cada vez mayor. Todas mis preocupaciones y temores me habían conducido a ese momento, y ya no logré seguir reprimiéndolos. No pude contenerlos. Las lágrimas empezaron a bajarme a mares por las mejillas y, antes de darme cuenta, estaba sollozando.

¿Cómo había pasado eso? Era como una pesadilla. Mi padre era el hombre más dulce y amable que conocía. Era cándido y frágil. Ese no era él. Aunque conocía los motivos que lo habían llevado a mantenerse sobrio, aunque en el fondo de mi mente sabía que beber era peligroso para él, aun así no parecía real. No parecía posible.

Me sentía como si mi mundo hubiera acabado girando fuera de control. Y, esa vez, no podía negarlo, no podía ignorarlo y, definitivamente, no podía escapar de ello.

Wesley no dijo nada. Simplemente se quedó allí sentado conmigo en silencio. Ni siquiera me di cuenta de que me cogía de la mano hasta que dejé de llorar. En cuanto recobré el aliento y me limpié las últimas gotas saladas de los ojos, abrió su puerta y luego rodeó el coche para abrir la mía. Me ayudó a salir (no es que lo necesitara, pero aun así fue un bonito detalle) y me condujo al porche rodeándome con fuerza con el brazo, igual que me había sacado de mi casa, y me mantuvo pegada a él. Era como si tuviera miedo de que pudiera escabullirme en la oscuridad que se extendía entre su coche y la puerta principal.

Una vez dentro, me ofreció algo de beber. Dije que no con la cabeza y subimos a su cuarto como siempre. Me senté en la cama y él se sentó a mi lado. No estaba mirándome, sino que parecía sumido en sus pensamientos. No pude evitar preguntarme qué horribles ideas le rondaban la mente, pero no dije nada. No quería saberlo.

–¿Estás bien? –me preguntó, volviéndose por fin hacia mí–. ¿Necesitas una bolsa de hielo o algo?

–No –contesté. Tenía la garganta dolorida de llorar y mis palabras sonaron un tanto roncas–. Ya no me duele.

Me apartó el pelo de la cara, rozándome apenas la sien con los dedos.

–Bueno –dijo en voz baja–, por lo menos ahora lo sé.

–¿El qué?

–De qué estás intentando escapar.

No respondí.

—¿Por qué no me habías dicho que tu padre tiene problemas con la bebida?

—Porque yo no soy quién para contarlo. Además, acabará superándolo. Es que ahora mismo está pasándolo mal. Llevaba dieciocho años sin beber, hasta que recibió los papeles del divorcio... Pero se pondrá bien.

—Deberías hablar con él. Cuando esté sobrio, deberías decirle que se le está yendo de las manos.

—Ya, claro —repuse—. ¿Y hacerle pensar que yo también estoy en su contra? ¿Justo cuando mi madre acaba de entregarle los papeles del divorcio?

—Tú no estás en su contra, Bianca.

—Y dime, Wesley, ¿por qué no hablas tú con tus padres? —le pregunté. Estaba siendo un auténtico hipócrita, ¿no?—. ¿Por qué no les dices que te sientes solo, que quieres que vuelvan a casa? Es porque no quieres disgustarlos, ¿verdad? No quieres que te culpen de su infelicidad. Si le digo a mi padre que tiene un problema, pensará que lo odio. ¿Cómo voy a hacerle más daño? Acaba de perderlo todo.

Wesley negó con la cabeza.

—No todo. No te ha perdido a ti. Al menos, todavía. Si no hablas con él, acabará alejándote, y entonces su sufrimiento será aún mayor.

—Quizás.

Los dedos de Wesley continuaron masajeándome suavemente la sien.

—No estaré haciéndote daño, ¿verdad?

—Para nada.

En realidad, el modo en el que me masajeaba el cráneo resultaba muy agradable. Suspiré y me incliné hacia su mano.

—Las cosas que me dijo me hicieron mucho más daño —murmuré. Me mordí el labio inferior—. ¿Sabes una cosa? Nunca me habían llamado puta, y hoy dos personas diferentes han insinuado que lo soy. Y lo más gracioso es que estoy segura de que tienen razón.

—Eso no es gracioso —masculló Wesley—. Y no eres una puta, Bianca.

—Entonces, ¿qué soy? —le espeté, enfadándome de pronto. Le aparté la mano de mi cabeza y me puse en pie—. ¿Qué soy? Estoy acostándome con un tío que no es mi novio y les miento sobre ello a mis amigas... si es que siguen siéndolo. ¡Ahora ya ni me planteo si esto está bien o mal! Soy una puta. Tanto tu abuela como mi padre lo creen, y tienen razón.

Wesley se levantó con una expresión dura y seria en la cara. Me agarró por los hombros y me sostuvo con firmeza obligándome a mirarlo.

—Escúchame —me dijo—. No eres una puta. ¿Estás escuchándome, Bianca? Lo que tú eres es una chica inteligente, descarada, sarcástica, cínica, neurótica, leal y compasiva. Eso es lo que eres, ¿de acuerdo? No eres una puta ni una zorra ni nada remotamente parecido. Solo tienes algunos secretos y has cometido algunos errores. Solo estás confundida... como el resto de nosotros.

Me quedé mirándolo, asombrada. ¿Tenía razón? ¿El resto del mundo estaba tan perdido como yo? ¿Todo el mundo tenía secretos y había metido la pata? Tenía que ser verdad. Sabía que Wesley estaba tan jodido como yo, así que sin duda el resto del mundo también debía de tener sus imperfecciones.

—Bianca, «puta» solo es una palabra barata que la gente

utiliza para hacerse daño unos a otros –dijo suavizando la voz–. Les hace sentir mejor frente a sus propios errores. Usar ese tipo de palabras es más fácil que analizar a fondo la situación. Te lo prometo, no eres una puta.

Miré sus cálidos ojos grises y de pronto comprendí lo que estaba intentando decirme. El mensaje oculto bajo las palabras.

«No estás sola.»

Porque él lo entendía. Él entendía lo que era sentirse abandonado. Entendía los insultos. Me entendía.

Me puse de puntillas y lo besé… Lo besé de verdad. Fue algo más que un precursor del sexo. Nuestras bocas no entablaron una batalla. Mis caderas se apoyaron suavemente en las suyas en lugar de apretarse con fuerza. Nuestros labios se movieron en suave y perfecta armonía. Esa vez significaba algo. En aquel momento no estaba segura de qué, pero sabía que había una conexión real entre nosotros. Me acarició el pelo con suavidad y me rozó la mejilla (todavía húmeda por el llanto) con el pulgar. Y no me pareció algo retorcido, enfermizo ni antinatural. En realidad, me pareció lo más natural del mundo.

Le quité la camisa y él me pasó la camiseta por encima de la cabeza. Luego me tumbó en la cama. Sin prisa. Esa vez las cosas eran lentas y concienzudas. Esa vez no buscaba una vía de escape. Esa vez se trataba de él. Y de mí. De honestidad, compasión y todo lo que nunca había esperado encontrar en Wesley Rush.

Esa vez, cuando nuestros cuerpos conectaron, no me pareció algo sucio ni reprobable.

Me pareció que era exactamente lo correcto.

18

En cuanto abrí los ojos la mañana siguiente, supe que algo iba mal.

El cielo tenía un aspecto frío y apagado al otro lado de la ventana de Wesley, pero yo notaba calidez. Mucha calidez. Wesley me había echado un brazo encima, sosteniéndome contra su pecho, y su respiración suave y rítmica me calentaba la nuca. Todo era tan tranquilo, tan perfecto... Me sentía segura y contenta. Y ese era el problema.

Vi un jersey rosado olvidado en un rincón de la habitación. Llevaba semanas allí. Le pertenecía a alguna chica anónima, una de las muchas a las que Wesley había llevado a su cuarto. Al verlo, recordé de pronto en la cama de quién estaba. Quién me abrazaba.

No debería sentirme segura ni contenta. Allí no. No con Wesley. Eso estaba mal. Debería estar indignada. Debería estar asqueada. Debería desear apartarlo de mí de un empujón. ¿Qué diablos estaba sucediendo? Pero ¿a mí qué me pasaba?

Y, mientras me hacía esas preguntas, las respuestas me arrollaron como un tsunami. Un gélido tsunami que me dejó boquiabierta y horrorizada.

Estaba celosa de las otras chicas con las que hablaba. Estaba dispuesta a hacer cualquier cosa para que sonriera. Me sentía segura y contenta en sus brazos.

«Ay, Dios mío –pensé a punto de dejarme llevar por el pánico–. Estoy enamorada de él.»

Entonces tuve que controlarme. No, no, no. No era amor. «Amor» es una palabra importante. Demasiado importante. El amor tarda años y años en surgir... ¿verdad? No estaba enamorada de Wesley Rush.

Pero sentía algo por él. Algo aparte de odio y repugnancia. Era más que un encaprichamiento. Más que cualquier cosa que hubiera sentido por Toby Tucker a lo largo de los últimos tres años. Puede que incluso más que lo que había sentido por Jake Gaither. Era real, potente... y aterrador.

Tenía que largarme de allí. No podía quedarme. No podía permitirme caer en esa trampa. Daba igual lo que yo sintiera por Wesley, él nunca sentiría lo mismo.

Porque era Wesley Rush. Y yo era la Duff.

No iba a torturarme de esa manera, ni hablar. Ya había aprendido la lección con Jake. Involucrándote demasiado solo conseguías que te hicieran daño, y Wesley disponía de mucha munición con la que hacerme daño. Anoche me había visto en mi momento más débil. Y yo se lo había permitido, me había abierto con él. Y si no me marchaba ahora, pagaría el precio.

«No importa adónde vayas ni lo que hagas para distraerte, la realidad acaba alcanzándote.» Mi madre había dicho eso sobre su relación con papá.

En mi cara se dibujó una sonrisa de amargura al tiempo que me liberaba despacio y de mala gana de los brazos de Wesley. Mi madre había estado en lo cierto; Wesley era mi distracción. Se suponía que debía ser mi vía de escape de las emociones, de todos los problemas de mi vida. Y ahora me encontraba allí... abrumada por las emociones.

Me moví sigilosamente por el cuarto intentando vestirme sin hacer ruido. Después de ponerme a toda prisa el jersey y los vaqueros, cogí mi móvil y salí al balcón. Marqué el número del móvil de Casey antes de que me diera tiempo de arrepentirme o convencerme de que no me contestaría. Suponía que aún seguiría enfadada conmigo, pero no se me ocurría otra opción. Por muy cabreada que estuviera, sabía que Casey me ayudaría. Mi amiga ayudaría a cualquiera que lo necesitase. Ella era así.

–¿Sí? –gruñó medio dormida después de dos tonos.

«Mierda», murmuró una vocecita en el fondo de mi mente. Después de todo ese tiempo, no podía creerme que sería así como Casey se enteraría de mi secreto. Pero sabía que era lo mejor. Sabía que, si no me marchaba ahora, nunca lo haría. Lo sabía, pero aun así no quería irme. No quería sentir lo que sentía. Y de ninguna manera quería que Casey (ni nadie, en realidad) lo supiera.

–¿Hola? ¿Bianca?

Qué lástima que yo nunca consiguiera lo que quería.

–Hola, Casey. Siento despertarte, pero ¿podrías hacerme un favor enorme?

–B., ¿estás bien? –me soltó mientras se desvanecía su somnolencia–. ¿Qué tienes? ¿Ha pasado algo?

–¿Puedes coger las llaves de tu madre y venir a recogerme? Necesito que me lleves a casa.

–¿A casa? –Parecía confundida; algo nada bueno cuando se combinaba con el miedo. Dios, un día de estos iba a provocarle una úlcera a la pobre–. ¿Quieres decir que no estás en tu casa? ¿No dormiste anoche en tu casa?

–Relájate, Casey. Estoy bien –le aseguré.

–Y una mierda. No se te ocurra decirme que me relaje, Bianca —me espetó—. Llevas semanas comportándote de forma rara e ignorándome por completo cada vez que intento hablar contigo. Y ahora me llamas de madrugada y me pides que vaya a recogerte. ¿Debería relajarme? Por Dios, ¿dónde rayos estás?

Esa era la parte que había estado temiendo, así que respiré hondo antes de contestar.

—En casa de Wesley... Ya sabes, la casaza en...

—Sí, ya —me interrumpió—. La casa de Wesley Rush. Ya sé dónde está.

Casey sentía curiosidad, pero intentaba ocultarla tras el enfado. Tenía tan poco talento para la interpretación como yo.

—Vale, llegaré en diez minutos.

Y colgó.

Cerré el móvil y me lo metí en el bolsillo trasero. Diez minutos. Solo diez breves minutos.

Suspiré y me apoyé en la barandilla del balcón. Desde allí, el aburridísimo Hamilton parecía un espeluznante pueblo fantasma. Las calles estaban desiertas a esas horas de la madrugada (aunque, a decir verdad, nunca estaban demasiado concurridas) y todas las tiendecitas de tejados grises estaban cerradas. El cielo apagado y lúgubre que lo envolvía todo con una capa de penumbra no ayudaba a mejorar el paisaje.

Una penumbra lúgubre. Qué apropiado, ¿verdad?

—Puede que no lo sepas, pero los humanos suelen levantarse tarde los sábados.

Me volví y me encontré a Wesley de pie en la entrada del balcón, frotándose los ojos, soñoliento, con una pequeña sonrisa en los labios. A pesar del frío viento, solo llevaba unos calzoncillos negros. Maldita sea, tenía un cuerpo increíble... Pero no podía desconcentrarme. Debía ponerle fin a eso.

–Tenemos que hablar.

Intenté encontrar algo que mirar aparte de su sexy cuerpo semidesnudo. Mis pies me parecieron la mejor opción.

–Ya –murmuró Wesley mientras se pasaba una mano por el pelo revuelto–. ¿Sabes qué? Mi padre dice que esas son las tres palabras más aterradoras que puede pronunciar una mujer. Afirma que nada bueno empieza nunca con un «tenemos que hablar». Me estás preocupando un poco, Duffy.

–Deberíamos entrar.

–Eso no suena nada prometedor.

Lo seguí al interior del cuarto retorciéndome las manos de manera incontrolable. Las manos sudorosas son tan atractivas, ¿verdad? Wesley se dejó caer sobre la cama y esperó a que yo hiciera lo mismo, pero permanecí de pie. No podía ponerme demasiado cómoda. Casey llegaría para recogerme en unos ocho minutos y medio (sí, llevaba la cuenta), y tenía que procurar que aquello fuera breve y agradable.

O puede que solo breve. A mí nada de aquello me parecía agradable.

Me rasqué la nuca, inquieta.

–Mira –empecé–, eres un chico estupendo, y te agradezco todo lo que has hecho por mí.

¿Por qué sonaba como una ruptura? ¿No tienes que estar saliendo con alguien para plantarlo?

–¿En serio? –preguntó Wesley–. ¿Desde cuándo? Lo más bonito que me has llamado es gilipollas. Sabía que acabarías cediendo a mis encantos... pero algo me dice que debería desconfiar.

—Pero —proseguí, ignorándolo lo mejor que pude—, no puedo seguir con esto. Creo que deberíamos dejar de... eh... acostarnos.

Sí. Definitivamente, me sonaba a ruptura. Solo me faltaba soltar un «no es por ti, es por mí», y sería perfecto.

—¿Por qué?

No parecía dolido, solo sorprendido. Y a mí me dolió que no pareciera dolido.

—Porque esto ya no funciona; al menos, para mí —contesté ciñéndome a las frases típicas que había oído en las películas. Después de todo, eran clásicos por algún motivo—. No creo que esto —hice un gesto con la mano abarcándonos a ambos— me... nos convenga.

Wesley me miró entrecerrando los ojos.

—Bianca, ¿esto tiene algo que ver con lo de anoche? —me preguntó con seriedad—. Porque, si es así, quiero que sepas que no tienes que preocuparte de que...

—No se trata de eso.

—¿Y de qué, entonces? Lo que dices no tiene sentido.

Me miré las zapatillas. Los bordes de goma estaban empezando a pelarse, pero la tela de color rojo intenso de las Converse no se había desteñido lo más mínimo. «Rojo intenso.»

—Soy como Hester —susurré, más para mí misma que para Wesley.

—¿Qué?

Levanté la mirada, sorprendida de que me hubiera oído.

—Que soy como... —Negué con la cabeza—. Nada. Que hemos terminado. Yo he terminado.

–Bianca…

Dos rápidos bocinazos procedentes de la entrada me salvaron.

–Te… tengo que irme.

Estaba tan concentrada en salir pitando de aquella casa que no oí lo que Wesley me gritó. Su voz simplemente se perdió a lo lejos, donde esperaba dejarlo para siempre.

19

Casey aceleró el motor mientras me subía a la vieja camioneta de su madre. La señora Waller (antes era la señora Blithe, pero volvió a utilizar el apellido de soltera después del divorcio) podría tener un vehículo mucho más bonito. Cuando estaba casada con el padre de Casey, tenían mucho dinero. El señor Blithe se había ofrecido a comprarle un Lexus, pero ella se había negado. Le encantaba el viejo y destartalado Chevy, que se había comprado en su tercer año de instituto. Su hija, en cambio, lo odiaba. Sobre todo porque era el único vehículo que podía usar. Ella, desde luego, habría aceptado el Lexus de su padre. Por desgracia, la generosidad del señor Blithe no volvió a hacer acto de presencia después de que concluyera el proceso de divorcio.

Casey observó la semimansión a través del parabrisas mientras me abrochaba el cinturón. Llevaba un pijama rosa con estampado de ranas verdes debajo de la chaqueta y tenía el pelo corto completamente revuelto. A diferencia de mí, Casey podía conseguir que ir desaliñada pareciera mono y sexy. Y ni siquiera tenía que intentarlo.

–Hola –saludé.

Mi amiga me miró. Examinó mi rostro, buscando algún indicio que dejara traslucir que estaba en problemas, y arrugó la frente. Después de un breve duelo de miradas, giró la cabeza y puso la camioneta en marcha (peleándose un poco con la palanca de cambios).

–Vale –dijo mientras salíamos del camino de entrada–. ¿Qué está pasando? Y no me digas que todo va bien, porque he tenido que levantarme a las siete de la mañana y puede que acabe retorciéndote el pescuezo si no me das una respuesta válida.

–Ya, claro, porque recurrir a las amenazas siempre me hace hablar.

–No me vengas con esas –gruñó Casey–. Estás evitando el tema, como siempre. Puede que eso te funcione con Jess, pero a estas alturas ya deberías saber que a mí no conseguirás despistarme. Así que explícate. Empieza con por qué acabo de recogerte en casa de Wesley.

–Porque he pasado allí la noche.

–Eso ya me lo había imaginado yo solita.

Me mordí el labio, sin saber del todo por qué persistía en guardarme la verdad. A fin de cuentas, no podía seguir ocultándosela mucho más. Casey acabaría averiguándolo todo enseguida, así que ¿por qué no escupirlo de una vez? Ahora que Wesley y yo habíamos terminado, al menos. ¿Mentir (o, más bien, ocultar la verdad) se había convertido en algo instintivo? ¿Me había acostumbrado a hacerlo después de todas estas semanas de secretismo? Y, si era así, ¿no era hora de dejarlo ya?

Casey suspiró y la camioneta redujo un poco la velocidad.

–Dime la verdad, Bianca, porque ahora mismo estoy muy confundida. Confundida y enfadada. Tenía entendido que odiabas a Wesley Rush. Y me refiero a odiarlo a muerte.

–Y lo odiaba –le aseguré–. Aún lo odio... más o menos.

–¿Más o menos? Por el amor de Dios, déjate de rodeos. Mira, llevas semanas pasando de Jess y de mí. Ya casi ni te vemos porque no haces nada con nosotras. Jess nunca se atrevería a decirlo, pero está convencida de que ya no te caemos bien. Está disgustada, y yo estoy cabreada porque nos has abandonado por completo. Siempre estás distraída y con la cabeza en las nubes. ¡Y siempre te andas con rodeos cuando te preguntamos qué te pasa! Joder, Bianca, dame algunas respuestas... por favor. –El tono de rabia de su voz se quebró transformándose en una pequeña súplica de desesperación. Bajó la voz–. Por favor, dime qué te pasa.

Se me partió el corazón mientras la culpa me aprisionaba el pecho como si fuera una boa constrictor. Dejé escapar un largo suspiro. Sabía que no podía seguir mintiendo. Al menos, no sobre eso.

–Nos hemos estado acostando.

–¿Quién? ¿Wesley y tú?

–Sí.

–¿Desde cuándo?

–Desde finales de enero.

Casey se quedó callada un buen rato. Luego, después de asimilarlo, me preguntó:

–Si lo odias, ¿por qué te has enrollado con él?

–Porque... me hacía sentir mejor. Con todo el asunto del divorcio de mis padres y luego encima aparece Jake... necesitaba distraerme. Quería escapar de todo... de una forma que no implicara el suicidio, ya me entiendes. Acostarme con Wesley me pareció una buena idea en aquel momento.

Miré hacia fuera por la ventanilla, pues no quería ver la expresión de su cara. Estaba segura de que la había decepcionado. O, de una manera retorcida, puede que incluso estuviera orgullosa de mí.

–Así que... ¿ahí es donde has estado metida el último mes? –me preguntó–. ¿Por eso has estado pasando de nosotras? ¿Por que estabas con Wesley?

–Sí –murmuré–. Cada vez que las cosas me superaban, él estaba ahí. Podía aliviar el estrés sin asustaros a ti o a Jessica. Parecía una buena idea. Y luego se convirtió en una especie de adicción... Pero al final me ha pasado factura, y ahora las cosas están mucho peor que antes.

–Madre mía, ¿estás embarazada?

Apreté los dientes y me volví hacia ella.

–No, Casey, no estoy embarazada. –¿Estaba hablando en serio?–. Joder, soy lo suficientemente lista como para usar condón, y llevo unos tres años tomando la píldora, ¿de acuerdo?

–Vale, vale –contestó Casey–. No estás embarazada... gracias a Dios. Pero, si ese no es el problema, ¿por qué las cosas están mucho peor?

–Bueno, para empezar, tú estás cabreada conmigo... y me gusta Wesley.

–Bueno, chica, estás tirándotelo.

–No, lo que quiero decir es que...

Negué con la cabeza y volví a mirar por la ventanilla. Las casitas de las afueras de Hamilton pasaban a toda velocidad por nuestro lado, sencillas y limpias, rodeadas por sus inocentes cercas. Yo habría dado cualquier cosa por ser sencilla y limpia como aquellas casitas. En cambio, me sentía complicada, sucia y deshonesta.

–En realidad, no me gusta –le expliqué–. Me saca completamente de quicio el noventa y seis por ciento del tiempo y, a veces, me encantaría estrangularlo. Pero al mismo tiempo… quiero que sea feliz. Pienso en él mucho más de lo que debería y…

—Estás enamorada de él.

—¡No! —exclamé volviéndome bruscamente hacia ella—. ¡No, no y no! No estoy enamorada de él, ¿entendido? El amor es raro y difícil de encontrar, y tarda años y años en surgir. Los adolescentes no se enamoran. No estoy enamorada de Wesley.

—Vale, pero sientes algo por él, ¿no?

—Sí.

Me echó un vistazo antes de volver a concentrarse en la carretera, esbozando una media sonrisa.

—Lo sabía. Me refiero a que… todas esas bromas que hacía sobre el tema solo eran para tomarte el pelo, pero estaba segura de que pasaría algo después de que lo besaras.

—Ah, cállate —mascullé—. Esto es una mierda.

—¿Por qué?

—¿Por qué qué?

—Que por qué es algo malo. ¿Y qué si sientes algo por él? ¿No se supone que debería ser genial y emocionante y provocarte un revoloteo en la barriga y todo eso?

—No. No es genial ni emocionante. Es espantoso e insoportable.

—Pero ¿por qué?

—¡Porque yo nunca le gustaré a él! —Dios, ¿es que no era evidente? ¿Acaso no podía atar cabos?—. Nunca se interesará por mí de esa manera, Casey. Pierdo el tiempo solo con pensar que es posible.

—¿Por qué no ibas a gustarle?

Dios, ¿es que tenía un millón de preguntas o qué?

—Déjalo.

—No, lo digo en serio, B. —insistió—. Estoy bastante segura de que no puedes leer la mente ni ver el futuro, así que no entiendo cómo sabes que nunca le gustarás. ¿Por qué no iba a pasar?

—Bueno, ahora mismo tampoco te gusto mucho a ti —señalé.

—Se me pasará —contestó—. Bueno, con el tiempo. Pero, en serio, ¿qué impide que le gustes a Wesley?

—Que soy la Duff.

—¿Cómo dices? ¿La qué?

—La Duff.

—¿Eso es una palabra?

—Significa la amiga fea y gorda —expliqué con un suspiro—. La chica menos atractiva de un grupo de amigas. Y esa soy yo.

—Qué estupidez.

—¿En serio? —le espeté—. ¿De verdad es tan estúpido, Casey? Mírate. Mira a Jessica. Las dos parecéis sacadas de un ejemplar de *Teen Vogue*. Yo no puedo competir con eso. Así que, sí, yo soy la maldita Duff.

—No es verdad. ¿Quién te ha dicho eso?

—Wesley.

—¿Estás de coña?

—No.

—¿Antes o después de tirártelo?

—Antes.

—Bueno, pues entonces no lo decía en serio —concluyó Casey—. Ha estado acostándose contigo, ¿no? Así que debes de resultarle atractiva.

Solté un resoplido.

–Ten en cuenta de quién estás hablando, Casey. Wesley no es particularmente quisquilloso cuando se trata de sexo. Podría parecer una gorila y aun así no vacilaría en llevarme a la cama; pero salir conmigo es algo totalmente diferente. Si ni siquiera saldría con una chica del Escuadrón Flacucho...

–Odio que nos llames así.

–... pero ¿conmigo? Nunca sería el novio de una Duff.

–Ya basta, Bianca –dijo Casey–. Tú no eres la Duff. Si alguna de nosotras es la Duff, esa soy yo.

–Qué risa.

–No estoy bromeando –insistió–. Sigo enfadada contigo, así que ¿por qué molestarme en ser amable? Mierda, soy como *Bigfoot*. ¡Mido uno ochenta y cinco! La mayoría de los chicos tienen que levantar la cabeza para mirarme a la cara, y a ningún tío le gusta ser más bajo que una chica. Por lo menos tú eres bonita y menuda. Yo mataría por medir lo mismo que tú... y por tener tus ojos. Tus ojos son mucho más bonitos que los míos.

No dije nada. Estaba segura de que se le había ido la pinza. ¿Cómo diablos iba a ser ella la Duff? Incluso con el pijama de ranas parecía una de las concursantes de America's Next Top Model.

–Si Wesley no puede ver lo adorable que eres, entonces no te merece. Tienes que pasar página y sacarte a Wesley de la cabeza.

Ya, claro. ¿Pasar página con quién? ¿Quién iba a quererme? Nadie. Pero no podía decirle eso a Casey. Seguramente solo conseguiría iniciar otra estúpida pelea, y todavía no habíamos terminado con la primera, por lo que simplemente asentí con la cabeza.

–Bueno… ¿y qué pasa con ese tal Tucker?

La miré sorprendida.

–¿Toby? ¿Qué pasa con él?

–Llevas colada por él una eternidad –me recordó–. Y ayer te vi echarte encima de él en la cafetería…

–Me dio un abrazo –la interrumpí–. Eso no es echarse encima.

Casey puso los ojos en blanco. Dios, se le estaba pegando mi forma de ser.

–Da igual. La cuestión es que estabas intimando con Toby, pero ahora de repente estás ena…

Le lancé una mirada de advertencia.

–… de repente te gusta Wesley.

–¿Adónde quieres ir a parar? –le pregunté.

–No lo sé –respondió con un suspiro–. Es solo que… creo que has estado ocultándome muchas cosas. Que en tu vida han cambiado muchas cosas y muy rápido. Y ahora mismo me siento excluida.

Más culpa. Genial. Hoy no se estaba cortando un pelo, pero supongo que me lo merecía.

–No han cambiado tantas cosas –le aseguré–. Todavía estoy colada por Toby… pero da igual, solo somos amigos. Me abrazó ayer porque lo admitieron en la universidad que quería y estaba muy contento. Ojalá hubiera sido algo más, pero no lo fue. Y, en cuanto a lo de Wesley, solo es… una estupidez. Se acabó. Podemos hacer como si nunca hubiera ocurrido. La verdad es que lo preferiría.

–¿Y qué pasa con tus padres? Con el divorcio. No has vuelto a mencionarlo desde el día después de San Valentín.

–Todo va bien –le mentí–. El divorcio sigue adelante, pero mis padres están bien.

Me dirigió una mirada de escepticismo antes de volver a fijar la vista en la carretera. Mi amiga sabía que aquello no eran más que gilipolleces; pero, por una vez, lo dejó correr. Por fin, después de un buen rato, volvió a hablar. Por suerte, cambió de tema.

–Bueno, ¿y dónde narices está tu coche?

–En el instituto –contesté–. La batería se murió.

–Qué mierda. Supongo que tendrás que pedirle a tu padre que te la cambie.

–Sí –murmuré.

«Si consigo que esté sobrio más de diez segundos.»

Se produjo un largo silencio. Después de unos minutos, decidí tragarme el poco orgullo que me quedaba.

–Siento haberte llamado gilipollas ayer.

–Eso espero. También me llamaste animadora pija y esnob.

–Lo siento. ¿Sigues enfadada conmigo?

–Sí –contestó–. Bueno, no tanto como ayer, pero... Me dolió mucho, Bianca. Jess y yo estábamos muy preocupadas por ti, y tú casi ni nos hablabas. Te invitaba a salir una y otra vez y tú siempre pasabas de mí. Y entonces te vi hablando con Toby cuando se suponía que deberías estar hablando conmigo y... me puse celosa. No de un modo raro ni nada de eso, pero... Se supone que soy tu mejor amiga, ¿sabes? Me sentí como si me hubieras echado a un lado. Y me molesta que empezaras a acostarte con Wesley en lugar de simplemente hablar conmigo.

–Lo siento –murmuré.

–Deja de decir eso. Sentirlo no es suficiente. Sentirlo no cambia nada. La próxima vez, piensa en mí. Y también en Jess. Te necesitamos, B. Y recuerda que nos tienes aquí y que nos preocupamos por ti... Dios sabe por qué.

Esbocé una leve sonrisa.

–Lo recordaré.

–No vuelvas a abandonarme, ¿vale? –Pronunció aquellas palabras con un débil murmullo–. Incluso con Jess, me sentía muy sola sin ti... y no tenía a nadie guay que me llevara en coche. ¿Sabes el coñazo que es tener a Vikki de chófer? El otro día casi atropella a un pobre viejo en bicicleta. ¿Te lo había contado?

Dimos vueltas por Hamilton un rato, gastando gasolina y poniéndonos al día. Casey estaba colada por un jugador de baloncesto. Yo estaba bordándolo en Inglés. Nada demasiado personal. Ahora Casey conocía mi secreto (o, al menos, una parte) y ya no estaba enfadada conmigo... bueno, no tanto. Me aseguró que todavía tendría que arrastrarme mucho más suplicando perdón antes de que todo quedara olvidado.

Seguimos dando vueltas hasta que su madre llamó a las diez exigiendo saber dónde estaba su camioneta y Casey tuvo que llevarme a casa.

–¿Vas a contárselo a Jessica? –me preguntó en voz baja mientras entraba en mi calle–. Me refiero a lo de Wesley.

–No lo sé. –Respiré hondo y decidí que guardar secretos no era una buena idea. Hasta ahora solo había conseguido echarlo todo a perder–. Mira, puedes contárselo. Cuéntaselo todo si quieres, pero yo no quiero hablar de ello. Solo quiero olvidarlo, si puedo.

–Entiendo –dijo Casey–. Creo que debería saberlo. A fin de cuentas, es nuestra mejor amiga... pero le diré que estás pasando página. Porque es verdad, ¿no?

–Claro –murmuré.

No pude evitar inquietarme cuando aparcó en la entrada de mi casa. Me quedé mirando la puerta principal de roble, las ventanas con los postigos cerrados que daban a la sala de estar y el sencillo y limpio jardín rodeado por una cerca. Nunca me había dado cuenta de que mi familia vivía tras una máscara.

Y entonces pensé en papá.

—Te veo el lunes —dije apartando la mirada para que no viera la preocupación reflejada en mi cara.

Luego me bajé de la camioneta y empecé a caminar hacia mi casa.

20

Llegué al porche antes de caer en la cuenta de que no tenía las llaves. Wesley me había sacado de la casa tan rápido anoche que ni siquiera había podido coger el bolso. Así que me encontré llamando a mi propia puerta, con la esperanza de que papá estuviera despierto para abrirme, mientras me inundaban la inquietud, el temor y los recuerdos.

Retrocedí un paso cuando el pomo giró y la puerta se abrió. Y allí estaba papá, con los ojos rojos y con profundas ojeras detrás de las gafas. Se lo veía muy pálido, como si hubiera estado enfermo, y le temblaba la mano que tenía apoyada en el pomo de la puerta.

–Bianca.

No olía a whisky y dejé escapar el aire que no me había dado cuenta de que estaba conteniendo.

–Hola, papá. Me… me dejé las llaves anoche y…

Avanzó despacio, como si tuviera miedo de que fuera a salir corriendo. Entonces me rodeó con los brazos, me apretó contra su pecho y hundió la cara en mi pelo. Nos quedamos allí abrazados un buen rato y, cuando por fin habló, las palabras le salieron entre sollozos.

–Lo siento muchísimo.

–Ya lo sé –murmuré contra su camisa.

Yo también estaba llorando.

Papá y yo hablamos más aquel día que durante los últimos diecisiete años. No es que antes no estuviéramos unidos, solo que ninguno de los dos era muy expresivo. No compartíamos nuestros pensamientos ni sentimientos ni hacíamos nada de eso que te dicen que es importante en esos anuncios de interés público que ponen en el canal juvenil Nickelodeon. Cuando cenábamos juntos, siempre lo hacíamos delante del televisor, y a ninguno de los dos se le ocurriría interrumpir el programa para charlar de temas triviales. Nosotros éramos así.

Pero ese día hablamos. Hablamos de su trabajo, de mis notas, de mamá...

—No va a volver, ¿verdad?

Papá se quitó las gafas y se frotó la cara con ambas manos. Estábamos sentados en el sofá y, por una vez, el televisor estaba apagado. Nuestras voces eran las únicas que llenaban la habitación. Ese semisilencio era agradable, aunque aterrador al mismo tiempo.

—No, papá —dije, y, en un acto de coraje, le apreté la mano—. No va a volver. Este ya no es el sitio adecuado para ella.

Mi padre asintió con la cabeza.

—Lo sé. Me di cuenta de que no era feliz hace mucho tiempo... puede que incluso antes de que ella lo supiera. Pero esperaba...

—¿Que cambiara de opinión? —sugerí—. Creo que ella también lo deseaba. Por eso seguía yendo y viniendo, ¿sabes? No quería hacerle frente a la verdad. No quería admitir que quería el... —hice una pausa antes de pronunciar la siguiente palabra— divorcio.

«Divorcio» sonaba tan definitivo... Era más que una

pelea, más que una separación o una larga gira de charlas. Significaba que su matrimonio, su vida juntos, había terminado de verdad.

—Bueno —dijo con un suspiro mientras me devolvía el apretón en la mano—, supongo que los dos huíamos a nuestra manera.

—¿A qué te refieres?

Papá negó con la cabeza.

—Tu madre cogió un Mustang y yo, una botella de whisky. —Levantó la mano para colocarse bien las gafas; era un hábito inconsciente, siempre lo hacía cuando intentaba explicar algo—. Me quedé tan destrozado por lo que me hizo tu madre que me olvidé de lo horrible que es la bebida. Me olvidé de ver el lado positivo.

—No creo que un divorcio tenga un lado positivo, papá. Es un asco, lo mires como lo mires.

Él asintió con la cabeza.

—Puede que tengas razón, pero hay muchas cosas positivas en mi vida. Tengo un trabajo que me gusta, una bonita casa en un buen barrio y una hija maravillosa.

Puse los ojos en blanco.

—Oh, por Dios —masculló—. No te pongas sensiblero conmigo. Te lo advierto.

—Lo siento —contestó sonriendo—, pero lo digo en serio. Mucha gente mataría por tener mi vida, pero ni siquiera me lo planteé. Lo di por sentado, y a ti también. Lo siento muchísimo, abejita.

Quise apartar la mirada cuando vi el brillo de las lágrimas en sus ojos, pero me obligué a concentrarme solo en él. Llevaba demasiado tiempo escondiéndome de la verdad.

Papá se disculpó muchísimas veces por todo lo que había ocurrido a lo largo de los últimos días. Me prometió que iría otra vez a las reuniones de Alcohólicos Anónimos cada semana, que dejaría de beber y que volvería a llamar a su padrino. Y luego tiramos todas las botellas de whisky y cerveza por el fregadero. Ambos estábamos ansiosos por hacer borrón y cuenta nueva.

—¿Te duele la cabeza? —me preguntó aquel día como un millón de veces.

—Estoy bien —le aseguraba yo una y otra vez.

Entonces él negaba con la cabeza y murmuraba más disculpas por abofetearme, por lo que me había dicho. Y luego me abrazaba.

Lo digo en serio, como un millón de veces.

A eso de la medianoche, lo acompañé en su ritual de todas las noches de apagar las luces.

—Abejita —comentó mientras la cocina quedaba a oscuras—, quiero que le des las gracias a tu amigo la próxima vez que lo veas.

—¿Qué amigo?

—Ya sabes, el chico que estaba contigo anoche. ¿Cómo se llama?

—Wesley —murmuré.

—Eso. Bueno, me lo merecía. Demostró valor al hacer lo que hizo. No sé qué hay entre vosotros, pero me alegra que cuentes con un amigo dispuesto a defenderte. Dile que le doy las gracias, ¿quieres?

—Claro.

Me volví y subí por las escaleras rumbo a mi cuarto, rogando que aquel encuentro no ocurriera pronto.

—Oye, Bianca. —Hizo una mueca mientras se frotaba la

mandíbula–. Pero dile que la próxima vez preferiría que me escribiera primero una carta de reprimenda. Menudo brazo tiene ese chico.

No pude evitar sonreír.

–No habrá próxima vez –le aseguré mientras subía los últimos peldaños y me dirigía a mi cuarto.

Mis padres estaban haciéndole frente a la realidad, renunciando a aquello que les servía de distracción. Ahora me tocaba a mí, y eso significaba dejar a Wesley. Por desgracia, no había reuniones semanales ni padrinos ni un programa de doce pasos para ayudarme a superar mi adicción.

21

Estaba casi segura de que Wesley no me abordaría en el instituto. ¿Por qué iba a hacerlo? Ni que me echara de menos... aunque yo deseara con toda mi alma que así fuera. No había perdido nada, disponía de un montón de chicas deseando llenar cualquier hueco que yo pudiera haber dejado en su agenda. Por eso, no iba a hacerme falta un plan para evitarlo el lunes por la mañana.

El problema era que yo ni siquiera quería encontrarme con él. Si tenía que verlo día tras día, nunca podría olvidarlo. Nunca podría pasar página. Para esa situación sí necesitaba un plan, y ya había trazado uno.

Paso uno: mantenerme distraída en el pasillo por si me cruzaba con él. Paso dos: mantenerme ocupada en Inglés y nunca mirar hacia su lado de la clase. Paso tres: salir escopeteada del aparcamiento por la tarde para no toparme con él.

Papá hizo posible el paso tres al arreglarme el coche el domingo, así que estaba segura de que podría evitar ver a Wesley. En cuestión de semanas, conseguiría sacarme de la cabeza nuestra relación (o la ausencia de esta). Y si no era así, bueno, nos graduaríamos en mayo y no tendría que volver a ver aquella sonrisita arrogante nunca más.

Al menos, esa era la teoría.

Sin embargo, cuando el timbre indicó el final de las

clases el lunes, supe que mi plan era una birria. No mirar a Wesley no significaba necesariamente no pensar en él. De hecho, me pasé la mayor parte del día pensando en no mirarlo, y luego pensé en todas las razones por las que no debería pensar en él. ¡Era un círculo vicioso! Nada conseguía distraerme.

Hasta el martes por la tarde.

Iba de camino a la cafetería después de una clase de Política insoportablemente larga cuando pasó algo que me proporcionó la distracción que necesitaba. Fue algo increíble y asombroso. Algo absolutamente alucinante.

Toby se puso a caminar conmigo por el pasillo.

–Hola –me saludó.

–Hola. –Hice todo lo que pude para mostrarme lo más simpática posible y que no se me notara el mal humor–. ¿Cómo va eso, Harvard?

Toby sonrió y bajó la mirada mientras avanzaba arrastrando los pies.

–Pues aquí, ya ves, intentando decidir sobre qué escribir el trabajo de la carta al periódico. El señor Chaucer no fue muy específico. ¿Sobre qué vas a escribir el tuyo?

–No estoy segura –admití–. Estoy pensando en hacerlo sobre el matrimonio homosexual.

–¿A favor o en contra?

–A favor, por supuesto. Después de todo, el Gobierno no tiene ningún derecho a dictar quiénes pueden o no pueden declararse públicamente su amor.

–Qué romántico –comentó Toby.

Solté un resoplido.

–En absoluto. No soy nada romántica, pero es de cajón. Negarles a los homosexuales el derecho al matrimonio viola su derecho a la libertad y a la igualdad. Una cagada monumental, vamos.

—Opino exactamente lo mismo —asintió Toby—. Parece que tenemos mucho en común.

—Supongo que sí.

Caminamos un par de segundos en silencio antes de que me preguntara:

—Bueno, ¿tienes planes para el baile de graduación?

—No; no voy a ir. ¿Por qué pagar doscientos dólares por un vestido, treinta por una entrada, cuarenta por el peinado y el maquillaje y otro puñado más por una cena donde lo único que puedes comer es una ensalada sin aliñar para evitar mancharte el vestido de fiesta? Es ridículo.

—Ya veo —contestó Toby—. Pues es una pena... porque confiaba en que fueras conmigo.

Vaya, eso no me lo esperaba. Para nada. ¿Toby Tucker, el chico por el que llevaba años colada, quería invitarme al baile de graduación? Ay, Dios mío. Ay, Dios mío. Y yo acababa de despotricar contra toda la institución de los bailes de instituto como una idiota sabelotodo. Prácticamente lo había rechazado sin querer. Ay, mierda. Era una imbécil. Una completa imbécil. Y ahora me había quedado sin palabras. ¿Qué le decía? ¿Me disculpaba, lo retiraba, le...?

—Pero no pasa nada si eso es lo que opinas —me dijo Toby—. Yo siempre he considerado los bailes de graduación un rito de paso absurdo, así que opinamos igual.

—Ah, vale —respondí sin convicción.

«¡Por el amor de Dios, que alguien me pegue un tiro!»

—Pero —insistió Toby— ¿tienes algo en contra de las citas normales? ¿Sin vestidos de fiesta ni ensaladas asquerosas?

—No, no tengo ningún inconveniente.

La cabeza me daba vueltas. Toby quería pedirme una cita. ¡Una cita! No había tenido una cita de verdad desde... En realidad, nunca había tenido una cita de verdad. A menos que contase enrollarme con Jake en la última fila de un cine, y eso no lo consideraba una cita.

Pero ¿por qué? ¿Por qué iba a querer Toby salir conmigo? Yo era la Duff. Las Duff no tienen citas. No de las de verdad. Y, sin embargo, Toby estaba desafiando las probabilidades. Tal vez era mejor persona que la mayoría, exactamente como siempre me lo había imaginado en mis estúpidas y cursis fantasías en medio de clase. No era superficial, engreído, arrogante ni presumido, sino un perfecto caballero.

–Eso está bien. En ese caso... –Noté que estaba nervioso: estaba poniéndose colorado, tenía la mirada clavada en sus zapatos y jugueteaba con las gafas–. ¿Qué tal el viernes? ¿Te gustaría salir conmigo el viernes por la noche?

–Me...

Y entonces sucedió lo inevitable. Pensé en el cretino, el playboy, el mujeriego; la única persona que podría estropearme ese momento. Sí, estaba colada por Toby Tucker (¿cómo no iba a estarlo?: era dulce, encantador, inteligente...), pero mis sentimientos por Wesley eran mucho más profundos. Había salido de la piscina para niños de los encaprichamientos adolescentes y me había zambullido en las profundas aguas infestadas de tiburones del océano de las emociones. Y, si me perdonáis la dramática metáfora, se me daba fatal nadar.

Pero Casey me había dicho que pasara página, y allí estaba Toby lanzándome un flotador y ofreciéndose a salvarme de morir ahogada. Sería una idiota si no aceptara.

Quién sabía cuánto tiempo podría pasar hasta que apareciera otro equipo de rescate. Y, vamos, Toby era adorable.

–Me encantaría –dije esperando que la pausa no lo hubiera asustado demasiado.

–Genial. –Parecía aliviado–. Te recogeré a las siete el viernes.

–Guay.

Nos separamos en la cafetería y creo que me acerqué a la mesa dando saltitos (sí, fui saltando como una niña), olvidando por completo mi mal humor.

Y siguió en el olvido.

Durante el resto de la semana, no volví a pensar en que no debería estar pensando en Wesley. Es más, no pensé para nada en él. Ni una sola vez. Mi cerebro estaba demasiado ocupado con cosas como «¿qué debería ponerme?» y «¿cómo debería peinarme?». Todo aquello por lo que nunca me había preocupado antes. Eso sí que era surrealista.

Pero Casey y Jessica eran expertas en eso, y fueron a casa conmigo el viernes por la tarde, deseando convertirme en su Barbie particular. Si no hubiera estado tan nerviosa por esa cita, me habría sentido horrorizada; mi lado feminista se habría ofendido con todo aquel acicalamiento y los grititos de entusiasmo.

Me obligaron a probarme como veinte conjuntos diferentes (me parecieron todos espantosos) antes de decidirse por uno. Terminé con una falda negra hasta las rodillas y una blusa turquesa de cuello bajo, lo bastante escotada para dejar entrever la curva de mis diminutas tetas. Luego emplearon el resto del tiempo en pasarme la plancha por mi rebelde pelo. Tardaron dos horas (y no exagero) en alisármelo.

Ya eran las siete menos diez cuando me colocaron delante del espejo para examinar su obra.

—Perfecta —anunció Casey.

—¡Preciosa! —coincidió Jessica.

—¿Lo ves, B.? —dijo Casey—. Toda esa mierda de las Duff es una estupidez. Ahora mismo, estás cañón.

—¿Qué es esa mier… eso de las Duff? —preguntó Jessica.

—Nada —contesté.

—B. cree que es más fea que nosotras.

—¿Qué? —exclamó Jessica—. ¿De verdad crees eso, Bianca?

—No es para tanto.

—Sí lo cree —dijo Casey—. Me lo dijo ella misma.

—Pero no es verdad, Bianca —insistió Jessica—. ¿Cómo puedes pensar eso?

—Jessica, no te preocupes. No es para tan…

—Estoy de acuerdo —me interrumpió Casey—. ¿A que es una estupidez? ¿A que es muy guapa, Jess?

—Superguapa.

—¿Lo ves, B.? Eres superguapa.

Suspiré.

—Gracias, chicas. —Hora de cambiar de tema—. Bueno… esto… ¿cómo pensáis volver a casa? No puedo llevaros yo porque Toby me recogerá en diez minutos. ¿Van a venir vuestros padres a buscaros?

—Ah, no —anunció Jessica—. No vamos a irnos.

—¿Qué?

—Estaremos aquí esperándote cuando regreses de tu cita —me informó Casey—. Y luego nos lo contarás todo en la fiesta de pijamas que vamos a montar en honor de la primera gran cita de nuestra B.

—¡Eso es! —exclamó Jessica alegremente.

Me quedé mirándolas, boquiabierta.

–Estáis de coña.

–¿Te parece que estamos bromeando? –preguntó Casey.

–Pero ¿qué vais a hacer mientras no estoy? ¿No os aburriréis?

–Tienes una tele –me recordó Jessica.

–Y eso es lo único que necesitamos –añadió Casey–. Ya hemos hablado con tu padre. No tienes elección.

El timbre sonó antes de que pudiera seguir discutiendo y mis amigas prácticamente me hicieron bajar las escaleras a empujones. Cuando llegamos a la sala de estar, se pusieron a enderezarme la falda y a ajustarme el cuello de la blusa intentando que enseñara el máximo escote posible.

–Vas a pasártelo genial –dijo Casey con un suspiro de felicidad mientras me colocaba un mechón de pelo detrás de la oreja–. Te habrás olvidado de Wesley en un santiamén.

Se me hizo un nudo en el estómago.

–Calla, Casey… –murmuró Jessica.

Sabía que Casey ya le había contado toda la historia, pero Jessica no me había comentado nada, lo que era de agradecer. Lo único que quería era mantener a Wesley lo más lejos posible de mi mente.

No había vuelto a hablar con él desde la mañana que me fui de su casa, aunque él lo había intentado un par de veces después de Inglés. Yo simplemente lo había evitado poniéndome a hablar con Jessica o Casey y saliendo disparada del aula.

–Ay, Dios, lo siento –dijo Casey mordiéndose el labio–. Lo he dicho sin pensar.

Carraspeó, incómoda, y se rascó la nuca, alborotándose el pelo corto.

–¡Diviértete! –intervino Jessica poniendo fin a la incómoda pausa–. Pero no demasiado, ya sabes. Puede que no les caigas tan bien a mis padres si tengo que sacarte de la cárcel.

Solté una carcajada. Solo Jessica podía salvarnos de esos momentos incómodos con tanta soltura y alegría.

Miré a Casey y pude ver una chispa de miedo en sus ojos. Ella quería que superara lo de Wesley, pero yo sabía que estaba preocupada. Le preocupaba que volviera a abandonarla, que Toby la reemplazara. Pero no tenía nada que temer. Eso no se parecía en nada a mi relación con Wesley. Ya no huía. Ni de la realidad, ni de mis amigas ni de nada.

Le sonreí para tranquilizarla.

–¡Vete! ¡Vete! –chilló Jessica, y su coleta rubia se balanceó mientras daba brincos de entusiasmo.

–Sí, eso –coincidió Casey, devolviéndome la sonrisa–. No hagas esperar a tu chico.

Me empujaron hacia la puerta y desaparecieron en el piso de arriba entre risas y susurros.

–Qué raritas –murmuré moviendo la cabeza y tratando de contener una risita. Luego respiré hondo y abrí la puerta–. Hola, Toby.

Estaba de pie en el porche, tan guapo como siempre con su *blazer* azul marino y pantalones color caqui. Parecía un Kennedy, aunque con el pelo cortado a la taza. Me dedicó una amplia sonrisa de niño que dejó al descubierto sus blanquísimos dientes.

–Hola –me dijo mientras se situaba delante de mí. Había estado esperando a un lado de la puerta–. Lo siento, oí risas y decidí esperar.

—Ah, eso. —Eché un vistazo por encima del hombro—. Sí, lo siento.

—Caramba. Estás preciosa, Bianca.

—Qué va —repuse, muerta de la vergüenza. Ningún tío, excepto mi padre, me había dicho nunca eso.

—Claro que sí —me aseguró—. ¿Por qué iba a mentirte?

—No lo sé.

Madre mía, qué patética era. ¿Por qué no podía aceptar el cumplido sin más? ¿Y si lo asustaba antes siquiera de que empezara la cita? Dios, eso sería una mierda. Carraspeé e intenté aparentar que no me estaba dando de bofetadas para mis adentros.

—Bueno, ¿estás lista para irnos? —me preguntó Toby.

—Claro.

Salí y cerré la puerta detrás de mí. Toby me cogió del brazo y me condujo por la acera hacia su Taurus plateado. Incluso me abrió la puerta del pasajero, como hacen los chicos en las pelis antiguas. Cuánta clase. No pude evitar preguntarme de nuevo por qué diablos estaría interesado en mí. Toby metió la llave en el contacto y se volvió para sonreírme. Su sonrisa era sin duda su punto fuerte. Así que yo también le sonreí mientras notaba mariposas revoloteándome en la boca del estómago.

—Espero que tengas hambre —me dijo.

—Estoy famélica —mentí, pues sabía que estaba demasiado nerviosa para comer.

Cuando salimos de Giovanni's, un diminuto restaurante italiano en Oak Hill, me sentía un poco más cómoda. Se me estaban pasando los nervios e incluso había conseguido comer un pequeño cuenco de espaguetis sin carne. Estábamos riendo y hablando y me lo estaba pasando tan bien que no quería que la cita terminara cuando Toby pagó la cuenta. Por suerte para mí, él pensaba lo mismo.

—¿Sabes qué? —comentó mientras las campanillas de la puerta tintineaban tras nosotros—. Solo son las nueve y media. Todavía no tengo que llevarte a casa... a menos que quieras volver, lo que me parecería bien, por supuesto.

—No, no tengo prisa por volver a casa. Pero ¿qué quieres hacer?

—Bueno, podríamos dar un paseo —sugirió, y señaló con un gesto la acera que recorría la concurrida calle—. No es muy emocionante, pero podemos mirar los escaparates, hablar...

Le sonreí.

—Parece divertido.

—Genial.

Entrelazó nuestros brazos y empezamos a pasear por la acera bien iluminada. Ya habíamos pasado por delante de un par de tiendecitas antes de que ninguno de los dos hablara. Gracias a Dios, él abrió la boca primero, porque, aunque ya no estaba tan nerviosa, no tenía ni idea de qué decir que no me hiciera quedar como una mema integral.

—Bueno, puesto que ya conoces mi situación universitaria con pelos y señales, me gustaría saber cómo va la tuya. ¿Has solicitado plaza en algún sitio? —me preguntó.

—Sí. He enviado un par de solicitudes, pero todavía no me he decidido por ninguna. Supongo que estoy dejándolo para el último momento.

—¿Ya sabes qué vas a estudiar?

—Periodismo, probablemente —contesté—. Pero no estoy

segura. Siempre he querido trabajar para el *New York Times*, por eso he solicitado plaza en un par de universidades de Manhattan.

—La Gran Manzana —dijo asintiendo con la cabeza—. Qué ambicioso.

—Ya, bueno, probablemente acabe como esa chica de *El diablo viste de Prada*. Una auténtica perdedora trabajando en una estúpida revista de moda, cuando lo que de verdad quiero hacer es escribir sobre lo que pasa en el mundo o entrevistar a congresistas revolucionarios... como acabarás siendo tú.

Me dedicó una sonrisa radiante.

—No, tú no serás una perdedora.

—Lo que tú digas —contesté riéndome—. ¿Me imaginas escribiendo sobre moda, una industria donde llevar una talla treinta y ocho se considera ser gorda? Ni hablar. Acabaría suicidándome.

—Algo me dice que se te daría bien cualquier cosa que te propusieras.

—Algo me dice que estás haciéndome un poco la pelota, Toby.

Se encogió de hombros.

—Puede, pero no mucho. Eres estupenda, Bianca. No tienes pelos en la lengua, no te da miedo ser tú misma, y eres demócrata. En mi opinión, eso es ser asombrosa.

Vale, sí, me puse colorada. ¿Podéis culparme?

—Gracias.

—No hay nada que agradecer.

¡Madre mía! ¿A que era perfecto? Guapo, amable, divertido... y yo le gustaba por alguna misteriosa razón. Era como si estuviéramos hechos el uno para el otro. Como si él tuviera la pieza que encajaba en mi rompecabezas. ¿Podía una chica tener más suerte?

Soplaba una fría brisa de marzo y empecé a arrepentirme de permitir que Casey y Jessica me hubieran elegido la ropa. Mis amigas nunca tenían en cuenta el clima a la hora de vestirse. Tenía las piernas desnudas heladas (no me habían dejado ponerme medias) y la fina tela de la blusa no me protegía para nada del viento. Estaba tiritando y me rodeé el torso con los brazos intentando calentarme.

–Espera, toma –me dijo Toby. Se quitó el *blazer*, como se supone que tienen que hacer los chicos, y me lo ofreció–. Deberías haberme dicho que tenías frío.

–Estoy bien.

–No seas tonta. –Me ayudó a meter los brazos–. Preferiría no tener que salir con un polo.

¿Salir? Bueno, eso era una cita, pero ¿ahora estábamos saliendo? Nunca había salido con nadie, así que no estaba segura del todo. De cualquier forma, oírlo decir eso me hizo sentir muy feliz… y extrañamente nerviosa al mismo tiempo.

Toby me hizo dar la vuelta y me arregló el *blazer* alrededor del cuello y los hombros.

–Gracias –murmuré.

Estábamos de pie delante de una vieja tienda de antigüedades y la luz de unas elaboradas y anticuadas lámparas, como las que tenía mi abuelo en su sala de estar, iluminaba los escaparates. El resplandor envolvía la cara angulosa de Toby, reflejándose en los bordes de sus gafas y realzando sus ojos almendrados… que me miraban fijamente. Todavía tenía los dedos en el cuello del *blazer*, pero entonces su mano se deslizó por mi hombro hasta mi mandíbula. Me rozó la mejilla con el pulgar, acariciándola una y otra vez. Se inclinó despacio hacia mí, proporcionándome tiempo de sobra para detenerlo si quería. ¡Ya, claro! Como si se me fuera a ocurrir.

Y entonces me besó. No fue un morreo, pero tampoco solo un piquito. Fue un beso de verdad: suave, dulce y largo. La clase de beso que había querido que Toby Tucker me diera desde que tenía quince años, y fue exactamente como siempre lo había imaginado. Sus labios eran suaves y cálidos, y la forma en la que se movían sobre los míos hizo que las mariposas que tenía en la tripa enloquecieran.

Vale. Lo sé, lo sé. Opino que meterse mano en público es asqueroso e inmaduro, pero venga ya. En ese instante estaba demasiado distraída para que me importara quién pudiera estar mirando. Así que, sí, dejé de lado mis principios un segundo y le rodeé el cuello con los brazos. A fin de cuentas, siempre podía volver a mi cruzada contra los morreos en público por la mañana.

Entré sigilosamente en casa a eso de las once de la noche y me encontré a papá esperándome en el sofá. Me sonrió y le quitó el sonido al televisor.

–Hola, abejita.

–Hola, papá. –Cerré la puerta principal y eché la llave–. ¿Qué tal tu reunión de Alcohólicos Anónimos?

–Extraña –admitió–. Es raro volver… pero me acostumbraré. ¿Y tú? ¿Qué tal tu cita?

–Alucinante –contesté con un suspiro.

Dios, no podía dejar de sonreír. Papá probablemente iba a pensar que me habían hecho una lobotomía.

–Eso está bien –aseguró–. ¿Con quién me dijiste que

ibas a salir? Lo siento, es que no me acuerdo de cómo se llamaba.

–Toby Tucker.

–¿Tucker? –repitió papá–. ¿Te refieres al hijo de Chaz Tucker? Vaya, eso es genial, abejita. Chaz es un buen tipo. Es el director del departamento de tecnología de una empresa del centro, y viene continuamente a la tienda. Es una familia maravillosa. Y me alegra oír que su hijo también es un buen chico.

–Sí que lo es –le aseguré.

Oímos pasos en la planta de arriba y los dos levantamos la vista hacia el techo.

–Vaya. –Papá negó con la cabeza y volvió a mirarme–. Casi me había olvidado de ellas. Han estado sospechosamente calladas toda la noche.

–Sí. Debería subir antes de que Casey tenga un aneurisma. Hasta mañana, papá.

–Vale. –Cogió el mando de la tele y subió el volumen–. Buenas noches, abejita.

Ya había subido alegremente media escalera cuando papá me llamó otra vez.

–Oye, abejita.

Me detuve y me apoyé en la barandilla para mirar hacia la sala de estar.

–¿Sí?

–¿Qué pasó con Wesley?

Me quedé helada y sentí que me faltaba un poco el aire.

–¿Q... qué?

–Tu amigo, el que... estaba contigo aquella noche. –Me miró desde el sofá mientras se colocaba bien las gafas–. No hablas mucho de él.

—Ya no nos vemos —contesté.

Empleé aquel tono de voz que dejaba claro que no debía hacerme más preguntas. Todas las adolescentes conocen esa voz y la usan con sus padres con frecuencia. Por lo general, la orden tácita es respetada. Mi padre me quería, pero sabía que era mejor no ahondar en los problemas de mi vida en el instituto. Era muy listo.

—Ah… solo era curiosidad.

—¡Bianca!

La puerta de mi cuarto se abrió de golpe y apareció Jessica con un pijama de color naranja fosforito. Bajó corriendo hasta la mitad de la escalera y me agarró del brazo.

—¡Deja de hacernos esperar! Ven y cuéntanoslo todo.

La sonrisa radiante de Jessica casi consigue hacerme olvidar que papá había mencionado a Wesley. Casi.

—¡Buenas noches, señor Piper! —gritó Jessica mientras me arrastraba hasta mi cuarto.

Después de unos pasos, mis pies volvieron a ponerse en marcha y me recordé que acababa de tener la mejor cita del mundo con el chico de mis sueños. Mis amigas comenzaron a chillar y a dar saltitos en cuanto entré en la habitación, y acabé sucumbiendo a su contagiosa alegría.

Tenía derecho a sentirme feliz por eso. Incluso los cínicos nos merecemos una noche libre de vez en cuando, ¿no?

22

El buen humor me duró hasta el lunes por la tarde. Después de todo, ¿por qué iba a irritarme? Por nada. Las cosas habían vuelto a la normalidad en casa, hacía semanas que mis amigas no me obligaban a ir al Nest y, ah, sí, acababa de tener una cita con el chico perfecto. ¿Quién se quejaría?

—Creo que nunca te había visto tan feliz —comentó Casey mientras salíamos del aparcamiento para alumnos. Su voz estaba cargada de energía, un desafortunado efecto secundario del entrenamiento de animadoras, y daba botecitos en el asiento—. ¡Es tan alentador!

—Por Dios, Casey, oyéndote parece que fuera una suicida o algo por el estilo.

—No se trata de eso. Es solo que últimamente no pareces tan amargada como de costumbre. Es un buen cambio.

—Yo no soy una amargada.

—Sí que lo eres. —Se estiró y me dio una palmadita en la rodilla—. Pero no pasa nada, B., es parte de tu personalidad y lo aceptamos. Pero ahora no estás amargada, y eso es alucinante. No te lo tomes como un insulto.

—Lo que tú digas. —Pero sonreí.

—¿Lo ves? —exclamó Casey—. Estás sonriendo. No puedes evitarlo, ¿verdad? Como te dije, nunca te había visto tan feliz.

—Vale, puede que tengas razón —admití.

En cierto sentido, era verdad. Había recuperado a Casey y a Jessica y las cosas habían vuelto a la normalidad con papá. ¿Por qué iba a quejarme?

—Siempre la tengo. —Se inclinó hacia delante y cambió la radio a una espantosa emisora de éxitos—. Bueno, ¿y qué hay de ti y de Toby? ¿Algún cotilleo que valga la pena?

—Pues no. Va a venir a casa esta tarde.

—¡Hala! —Volvió a apoyarse en el asiento y me guiñó un ojo—. A mí eso me parece un cotilleo muy interesante. Habrás conseguido condones extragrandes, ¿no?

—Cierra el pico. No se trata de eso, y lo sabes. Solo viene a hacer el trabajo para clase de Política. Es…

Me interrumpí cuando mi móvil, que estaba en el portavasos, empezó a vibrar y a sonar con fuerza. Apreté el volante con los dedos al instante. Recordaba a quién le había asignado ese tono, y aquellos pocos acordes fueron lo único que hizo falta para arruinarme la tarde.

—¿Britney Spears? Tienes *Womanizer* de tono. ¿En serio? Por Dios, B., esa canción debe de ser de 2008, por lo menos —bromeó Casey, pero yo no dije nada—. ¿No piensas contestar?

—No.

—¿Por qué no?

—Porque no quiero hablar con él.

—¿Con quién?

No respondí, así que Casey cogió mi móvil y comprobó la pantalla. La oí soltar un suspiro comprensivo. La música dejó de sonar unos segundos después, pero no conseguí que mi cuerpo volviera a relajarse. Me sentía entumecida e inquieta, y no me ayudaba que Casey me mirara fijamente.

–¿No has hablado con él?

–No –contesté entre dientes.

–¿Desde el día que te recogí en su casa?

–Ajá.

–Ay, B. –Suspiró.

Se hizo el silencio en el coche (bueno, salvo por el molesto sonido de una cantante pop sin talento en la radio; pero la tía estaba demasiado ocupada quejándose de que su novio la engañaba para preocuparse por mis problemas).

–¿Qué crees que quiere? –me preguntó Casey cuando la canción terminó. Noté cierta amargura en su voz.

–Conociendo a Wesley... probablemente sexo telefónico –gruñí–. Nunca es nada más importante.

–Bueno, pues menos mal que no has contestado. –Volvió a dejar el móvil en el portavasos y se cruzó de brazos–. Porque no te merece, B. Y, además, ahora estás con Toby, que es perfecto para ti y te trata como deberían tratarte... a diferencia del imbécil ese.

Una parte de mí quiso detenerla, defender a Wesley, decirle que en realidad nunca me había tratado mal. Vale, sí, me llamaba Duffy sin parar, lo que me fastidiaba y me dolía; pero, en general, Wesley había sido bueno conmigo.

Pero no se lo dije a Casey. No le dije nada en absoluto. Ella no sabía nada de la última noche que había pasado con Wesley, de que había sido mi amigo durante doce horas seguidas. No sabía nada de la recaída de papá ni de cómo Wesley me había defendido. Nunca podría contarle esas cosas.

Casey solo estaba enfadada con él porque estaba asustada. Asustada de que volviera corriendo a sus brazos y me olvidara de ella y de Jessica otra vez. Defender a Wesley no la habría ayudado a superar esos temores.

En cuestión de días, Toby había pasado de friki a héroe en la mente de Casey, simplemente porque no me había apartado de ella, porque no pasaba todas las tardes con él como había hecho con Wesley. Aunque la verdad era que no me apetecía. Algunas veces eso me asustaba, pero supuse que era normal. Esa era una relación sana, no una vía de escape como lo que tenía con Wesley. Y, por el momento, estaba muy contenta de pasar algún tiempo con mis amigas.

Aparqué delante de la casa de Casey y pulsé el botón de desbloqueo automático de las puertas.

—No te preocupes por mí. Tienes razón, Toby es genial, y me ha ayudado mucho a pasar página. En realidad, ya lo he hecho. Las cosas me van bien, así que no te preocupes.

—Vale —contestó—. Bien. Bueno, hasta mañana, B.

—Adiós.

Casey salió del coche y yo me marché, preguntándome si acababa de mentirle. Para ser sincera, no estaba segura.

Wesley volvió a llamar de camino a casa y lo ignoré. Porque las cosas me estaban yendo bien, porque estaba pasando página, porque hablar por teléfono y conducir al mismo tiempo no es seguro.

Saqué a Wesley de mi mente cuando vi que el coche de Toby ya estaba aparcado frente a mi casa. Mi padre todavía no había vuelto del trabajo, por lo que estaba sentado en los escalones del porche con un libro. El sol se reflejaba en la montura de sus gafas, haciéndolas parecer aún más brillantes. Como si Toby fuera un trofeo.

Salí del coche y subí rápidamente por la acera hacia él.

–Hola. Lo siento. He tenido que llevar a Casey a su casa.

Toby levantó la cabeza y me miró con una sonrisa en los labios. Una sonrisa de verdad, no una mueca arrogante…

Negué con la cabeza. No iba a pensar en Wesley. No iba a permitirme echarlo de menos. No, cuando tenía a Toby. Mi dulce, normal y sonriente Toby.

–No pasa nada –me aseguró–. Estaba disfrutando del clima. Es tan impredecible en primavera… –Metió el marcapáginas en la novela–. Es agradable disfrutar de un poquito de sol.

–¿Brontë? –pregunté al ver la cubierta del libro–. *¿Cumbres borrascosas?* ¿No es un libro para chicas?

–¿Lo has leído?

–Bueno, no –admití–. Pero sí he leído *Jane Eyre*, que está lleno de feminismo temprano. No digo que eso sea un problema. Soy una feminista absoluta, pero es un poco raro para un chico.

Toby negó con la cabeza.

–*Jane Eyre* es de Charlotte Brontë. Y *Cumbres borrascosas*, de Emily. Las dos hermanas son muy diferentes. Sí, *Cumbres Borrascosas* normalmente se considera una historia de amor, pero yo no estoy de acuerdo. Es casi una historia de fantasmas, y hay más odio que romance. Todos los personajes son detestables, malcriados, egoístas… Es algo así como ver un episodio de *Gossip Girl* en el siglo XIX. Salvo que es mucho menos ridículo, claro.

–Parece interesante –masculllé, disgustada porque en secreto veía *Gossip Girl* con regularidad.

–Supongo que no es demasiado popular entre la mayoría de los chicos de mi edad, pero engancha. Deberías leerlo.

–Puede que lo haga.

—Te gustará.

Sonreí y negué con la cabeza.

—Bueno, ¿listo para entrar?

—Por supuesto. —Cerró el libro y se puso de pie—. Te sigo.

Abrí la puerta y le permití pasar delante de mí. Una vez dentro, Toby se quitó los zapatos de inmediato. No es que viviéramos como cerdos ni nada por el estilo, pero nadie hacía nunca eso en nuestra casa. No pude evitar quedar impresionada.

—¿Dónde vamos a trabajar? —me preguntó.

De pronto, caí en la cuenta de que estaba mirándolo y aparté la vista.

—Ah —dije como si tal cosa—. Pues... ¿en mi cuarto? ¿Te parece bien?

«Dios, espero que no piense que soy una acosadora por quedarme mirándolo así.»

—Si a ti no te molesta... —respondió Toby.

—No, está bien. Vamos.

Me siguió escaleras arriba. Cuando llegamos a mi cuarto, abrí la puerta una rendija y realicé un examen rápido en busca de artículos vergonzosos (sujetadores, braguitas, etc.) que pudieran estar tirados por el suelo. Tras asegurarme de que todo estaba en orden (y rezando para que no se me hubiera notado demasiado), abrí la puerta de par en par y le hice un gesto a Toby para que pasara.

—Lo siento, está un poco desordenado —me disculpé mirando el montón de ropa limpia sin doblar que siempre estaba en el suelo al pie de la cama e intentando no pensar en la última vez que había subido a un chico a mi cuarto y cómo se había reído de mi manía de doblar la ropa. ¿Qué pensaría Toby de ello?

–No pasa nada. –Toby apartó de la silla una pila de libros que ya debería haber devuelto a la biblioteca y los colocó sobre el escritorio. Luego se sentó–. Tenemos diecisiete años. Se supone que nuestras habitaciones deben estar desordenadas. De lo contrario, no sería natural.

–Supongo que no. –Me subí a la cama y me senté con las piernas cruzadas–. Solo quería asegurarme de que no te molesta.

–Nada de lo que haces podría molestarme, Bianca.

Tuve que hacer un gran esfuerzo para ignorar lo cursi que había sonado eso, pero sonreí de todas formas y clavé la mirada en mi edredón morado. Nunca había recibido tantos cumplidos de la misma persona, y no se me daba muy bien aceptarlos. Generalmente, porque siempre estaba demasiado ocupada burlándome de lo pastelosos que eran. Pero estaba trabajando en ello.

Y la verdad era que me había sonrojado.

Ni siquiera me di cuenta de que Toby se había movido hasta que lo tuve sentado a mi lado.

–Lo siento. ¿Te he hecho sentir vergüenza?

–No… Bueno, sí, pero en el buen sentido.

–Mientras sea en el buen sentido…

Se inclinó hacia delante y me besó en la mejilla, pero no dejé que parara ahí. Volví la cabeza y presioné mis labios contra los suyos, justo cuando él estaba empezando a apartarse. No ocurrió con tanta fluidez como había esperado. Me golpeó en la cara con las gafas un momento, pero fingí que no me había dado cuenta.

Tenía los labios tan suaves que me pregunté si usaría bálsamo. En serio, nadie tiene los labios tan perfectos de manera natural, ¿verdad? Los míos debieron de asquearlo:

probablemente le parecieron ásperos y agrietados. Pero, si era el caso, no lo demostró. Su mano subió por mi brazo y se posó en mi hombro, acercándome un poco más. Nos quedamos sentados en la cama besándonos unos minutos, pero el sonido de mi móvil interrumpió el momento. «¡Mierda!»

Y, por supuesto, se trataba del mismo tono de Britney Spears (el que menos me apetecía oír en ese preciso instante), que parecía gritarme. Toby se separó y miró hacia el suelo, donde yo había dejado caer el bolso. Cuando no me moví, se volvió hacia mí arqueando las cejas.

—¿Estás ignorando a alguien? —me preguntó.

—Pues... sí.

—¿Estás segura de que no tienes que contestar?

—Segurísima.

Antes de que pudiera hacerme más preguntas, volví a besarlo. Con más fuerza, esta vez. Y, aunque Toby vaciló un momento, luego correspondió al beso. Le saqué las gafas a tientas y las coloqué en la mesita de noche al lado de la cama antes de abrazarnos y profundizar el beso.

Lo empujé hacia las almohadas conmigo. No había suficiente espacio para los dos en mi cama individual, así que tuvo que tumbarse encima de mí. Tenía una de sus manos en mi pelo y la otra, cerca de mi codo. No intentó agarrarme un pecho, no me metió la mano debajo de la camiseta ni trató de desabrocharme los vaqueros. En realidad, Toby no intentó hacer nada arriesgado y tuve el presentimiento de que iba a tocarme a mí dar todos los pasos importantes, como desabotonarle la camisa. Y así lo hice.

Durante un instante, me pregunté si Toby vacilaba por mí, porque yo era la Duff, porque en realidad no le resultaba atractiva. A pesar de todos los cumplidos que me hacía, no parecía que me deseara. No como Wesley.

No. Sabía que eso no era cierto. No se trataba de que Toby no quisiera pasar a mayores (era un adolescente, después de todo), sino de que era un caballero. Un chico paciente y respetuoso que no quería pasarse de la raya. Y además solo llevábamos saliendo unos días.

¿El hecho de que solo lleváramos saliendo unos cuatro días y ya estuviera revolcándome con él en mi diminuta cama me convertía en una zorra? ¿Mi relación con Wesley había deformado por completo mi percepción del sexo? ¿O todas las chicas lo hacían?

Vikki se acostaba con la mayoría de sus novios en la primera cita, aunque todo el instituto pensara que era una puta. Casey se había acostado con Zack solo una semana después de que empezaran a salir. Ella tenía quince años en aquel entonces y Zack era su primer novio de verdad. Era ingenua y estúpida, y no tenía reparos en admitir que fue un gran error.

Pero yo sabía que no me sentiría así con Toby. A fin de cuentas, era yo la que estaba dando los pasos. Yo quería ir más lejos con él. Porque me gustaba, porque era guapo y dulce, porque no le daba vergüenza salir conmigo. No se me ocurría ni una buena razón para no acostarme con él.

Dios, solo quería dejar de pensar. Lo besé con más intensidad y lo acerqué más a mí, intentando recrear aquel entumecimiento mental que había sentido antes… con Wesley. Pero no estaba funcionando. No podía dejar de pensar.

Le desabroché el resto de los botones de la camisa y lo ayudé a tirarla al suelo. Era bastante escuálido, sin apenas músculos (Casey lo habría llamado escuchimizado o algo por el estilo). Empezó a subirme el dobladillo de la camiseta con cautela. Se movía despacio por si yo quería detenerlo; me besaba del mismo modo, siempre preocupado de haberse extralimitado. Le pasé una pierna alrededor de la cintura y me froté contra él. Sin límites. Tal vez no había límites. Tal vez yo nunca los había tenido.

Quién sabe cuánto tiempo estuvimos enrollándonos en la cama, sacándonos la ropa a paso de tortuga. Yo ya estaba sin aliento para cuando se atrevió a pasarme la camiseta por encima de la cabeza y tirarla a la alfombra. Aunque parte de mí apreciaba la paciencia que estaba demostrando, no pude evitar pensar: «Ya era hora».

Noté que su mano derecha avanzaba lentamente (como un caracol) hacia el cierre de mi sujetador. A ese paso, sería medianoche antes de que me lo quitara y, por algún motivo, me sentía ansiosa e inquieta. Quería que me lo quitara, quería sentirme atractiva y deseada, quería dejar de pensar. Así que lo aparté y me senté, rodeándolo todavía con las piernas. Ambos estábamos jadeando y nos miramos fijamente.

–¿Estás segura de esto? –susurró Toby.

–Completamente.

Me llevé las manos a la espalda para soltar el cierre; pero, justo cuando rocé el gancho con los dedos, alguien llamó a la puerta de mi cuarto.

–¿Bianca?

Toby y yo dimos un brinco y giramos bruscamente el cuello mientras la puerta se abría.

Wesley Rush se había quedado paralizado en la puerta, mirándonos.

23

–Dios mío –murmuré mientras Toby y yo intentábamos separarnos frenéticamente.

Toby se bajó a toda prisa de la cama y recogió su camisa del suelo poniéndose colorado. Yo estiré el brazo y cogí mi camiseta.

–¿Cómo has entrado, Wesley? –solté.

–No estaba cerrado con llave –contestó–. No me has abierto cuando he llamado... Y ahora veo por qué.

Sus ojos estaban cargados de lo que supuse que sería asombro (que se convirtió rápidamente en asco) y miraban directamente a Toby.

¿Por qué se sorprendía? ¿Porque no creía que nadie más quisiera echar un polvo con la Duff?

–Pero ¿qué haces aquí? –pregunté sintiendo que un repentino torrente de rabia me corría por las venas. Me pasé la camiseta por encima de la cabeza con movimientos bruscos y me puse de pie.

–No contestabas al teléfono –masculló Wesley–. Estaba preocupado, pero parece que estás perfectamente. –Fulminó a Toby con la mirada un momento antes de volverse de nuevo hacia mí–. Culpa mía.

Ahora era él el que parecía enfadado. Enfadado y dolido. No lo entendía.

Le eché un vistazo a Toby. Ya se había puesto y abotonado la camisa y se miraba los pies, visiblemente incómodo por la situación.

—Oye —dije, y él me miró—. Vuelvo enseguida, ¿vale?

Toby asintió con la cabeza.

Empujé a Wesley hacia el pasillo con una mano y cerré la puerta de mi cuarto detrás de mí con la otra.

—¡Por Dios, Wesley! —exclamé entre dientes, irritada, mientras lo hacía bajar por las escaleras—. Siempre supe que eras un pervertido, pero ¿espiarme? Eso es pasarse.

Supuse que respondería algo a eso, algo arrogante y presuntuoso, o que tal vez me tomaría el pelo, como siempre hacía. Pero simplemente me miró, con una expresión seria en el rostro. No era para nada lo que me habría esperado de Wesley.

Se hizo el silencio.

—Bueno —dijo por fin—. ¿Así que Tucker y tú estáis juntos?

—Pues sí —contesté inquieta—. Así es.

—¿Desde cuándo?

—Desde la semana pasada… aunque no es asunto tuyo.

Otra pulla, otro intento de convertir eso en una conversación normal. Pero no picó.

—Ya, perdona. —Parecía incómodo, muy diferente del zalamero y confiado Wesley al que estaba acostumbrada.

Se produjo otro silencio violento.

—¿Por qué has venido, Wesley?

—Ya te lo he dicho. Estaba preocupado. Has estado evitándome en el instituto la última semana y, cuando te he llamado hoy, no has contestado. Pensaba que podría haber pasado algo con tu padre, así que he venido para asegurarme de que estás bien.

Me mordí el labio inferior mientras me invadía una oleada de culpa.

–Eso es muy considerado –murmuré–. Pero estoy bien. Papá se disculpó por lo de la otra noche y está asistiendo a reuniones de Alcohólicos Anónimos, así que...

–¿Así que no ibas a contármelo?

–¿Por qué tendría que contártelo?

–¡Porque me importas! –gritó Wesley. El impacto de sus palabras me dejó atónita un segundo–. ¡He estado preocupado por ti desde que te fuiste de mi casa hace una semana! Ni siquiera me dijiste por qué te fuiste, Bianca. ¿Qué se suponía que debía hacer? ¿Simplemente asumir que estarías bien?

–Dios –susurré–. Lo siento. No...

–¡Yo me preocupo por ti y, mientras, tú te estás tirando a ese pedante de...!

–¡Oye! –grité–. No metas a Toby en esto.

–¿Por qué has estado evitándome? –me preguntó.

–No he estado evitándote.

–No mientas –repuso Wesley–. Has estado haciendo todo lo posible para mantenerte lejos de mí. Ni siquiera me miras en clase y prácticamente sales corriendo por el pasillo si me ves venir. Ni siquiera cuando me odiabas te comportabas así. Puede que amenazaras con apuñalarme, pero nunca...

–Todavía te odio –gruñí–. ¡Eres exasperante! Actúas como si te debiera algo. Siento haber hecho que te preocuparas, Wesley, pero es que ya no puedo seguir viéndote. Me ayudaste a escapar de mis problemas un tiempo, y te lo agradezco, pero tengo que hacerle frente a la realidad. No puedo seguir huyendo.

—Pero eso es exactamente lo que estás haciendo ahora mismo —dijo Wesley entre dientes—. Estás huyendo.

—¿Cómo dices?

—Deja de fingir, Bianca. Eres demasiado lista para eso, y yo también. Por fin he comprendido lo que quisiste decir cuando te fuiste. Dijiste que eras como Hester. Ahora lo entiendo. La primera vez que viniste a mi casa, cuando escribimos aquella redacción, dijiste que Hester estaba intentando escapar. Pero acabó pasándole factura al final, ¿no? Bueno, pues algo te ha pasado factura a ti, y estás huyendo de nuevo. Solo que esta vez él —señaló hacia la puerta de mi cuarto— es tu vía de escape. —Dio un paso hacia mí, obligándome a estirar el cuello aún más para mirarlo a la cara—. Admítelo, Duffy.

—¿Admitir qué?

—Que estás huyendo de mí. Que te diste cuenta de que estás enamorada de mí y saliste pitando porque te acojonaste.

Me burlé como si aquello fuera ridículo (deseando que fuera ridículo) y puse los ojos en blanco mientras retrocedía un paso para demostrarle que no podía intimidarme, que no tenía razón.

—Oh, por Dios, no seas tan creído. Eres tan melodramático, Wesley... Esto no es una maldita telenovela.

—Sabes que es verdad.

—Y, aunque lo fuera —grité—, ¿qué importa? Tú te acuestas con cualquiera, Wesley. ¿Y qué si me marché? ¿Y qué si siento algo por ti? ¡Solo fui un polvo para ti! Tú nunca te comprometerías conmigo. Nunca podrías comprometerte con nadie, pero menos aún con Duffy. Ni siquiera me consideras atractiva.

—Gilipolleces —gruñó con la mirada clavada en mi cara mientras se acercaba de nuevo.

Estaba muy cerca. Yo tenía la espalda pegada a la pared y Wesley estaba a escasos centímetros de mí. Solo había pasado una semana, pero parecía que hacía siglos que no estábamos tan cerca. Me estremecí al recordar la sensación de sus manos sobre mi cuerpo; la forma en la que siempre me había hecho sentir deseada, incluso aunque hubiera dicho que era la Duff. ¿Era verdad? ¿Le resultaba atractiva a pesar del apodo? ¿Cómo? ¿Por qué?

—Y, entonces, ¿por qué me llamas así? —susurré—. ¿Sabes cuánto duele? ¿Tienes idea de lo mal que me siento cada vez que me llamas Duffy?

Wesley parecía sorprendido.

—¿Qué?

—Cada vez que me llamas así, estás diciéndome lo poca cosa que me consideras, lo fea que soy. Por Dios, ¿cómo puedo parecerte atractiva si me menosprecias todo el tiempo? —Pronuncié las últimas palabras con los dientes apretados.

—Yo no… —Bajó la vista y se miró los zapatos un momento. Noté que se sentía culpable—. Bianca, lo siento. —Volvió a mirarme a los ojos—. No pretendía…

Estiró la mano para tocarme.

—No —le ordené apartándome de él. Me deslicé a un lado y me alejé de la pared. No iba a permitir que me arrinconara. No iba a dejarle llevar la voz cantante—. Déjalo, Wesley.

Daba igual que alguna parte de él me considerase atractiva. Eso no cambiaba las cosas. Solo era otra chica con la que se había acostado. Una entre muchas.

—No signifiqué nada para ti —le dije.

—Entonces, ¿por qué estoy aquí? —me soltó volviéndose de nuevo hacia mí con una expresión dura en el rostro—. ¿Por qué diablos estoy aquí, Bianca?

Lo fulminé con la mirada.

—Yo te diré por qué. Tus padres te dejan solo, y tú llenas tu vida con aventuras que no significan nada. Con chicas con las que nunca tendrás algo serio, chicas que prácticamente te adoran, para que así no te abandonen. La única razón por la que estás aquí es porque no puedes aceptar la idea de que alguien más te haya dejado. Tu susceptible ego no puede soportarlo, y es más fácil hacer que te eche de menos que conseguir que tus padres vuelvan a casa.

Wesley se quedó sin habla. Tan solo me miró fijamente unos segundos apretando la mandíbula.

—¿He dado en el blanco, Wesley? —le espeté—. ¿Te tengo tan calado como tú piensas que me tienes a mí?

Me miró con severidad unos segundos (unos largos segundos) antes de retroceder un paso.

—Vale —murmuró—. Si es eso lo que quieres, me iré.

—Sí. Deberías irte.

Dio media vuelta y salió de la casa hecho una furia. Oí cómo la puerta principal daba un portazo y supe que se había ido para siempre. Realicé unas cuantas inspiraciones lentas y profundas para despejarme la cabeza y volví a subir a mi cuarto, donde me esperaba Toby.

—Hola —dije con un suspiro mientras me sentaba en la cama a su lado—. Siento todo esto.

—¿Qué ha pasado? —me preguntó—. No estaba escuchando a escondidas, pero gritabais mucho. ¿Estás bien?

—Sí, no pasa nada. Es una historia larga y complicada.

—Bueno, si quieres hablar de ello... —se colocó bien las gafas y me dedicó una sonrisa nerviosa—, tengo tiempo para escuchar.

—Gracias, pero estoy bien. Todo el mundo tiene trapos sucios, ¿no?

«Bueno, todo el mundo menos tú, Toby.»

—Cierto —asintió. Se inclinó y me besó con suavidad—. Siento que nos interrumpieran.

—Yo también.

Volvió a presionar sus labios contra los míos, pero no pude disfrutarlo. No dejaba de pensar en Wesley. Parecía tan dolido... Pero eso es lo que quería cuando lo dejé, aunque solo fuera en parte, ¿no? Que me echara de menos. Intenté apartar aquella idea de mi mente, ansiando perderme en los brazos de Toby. Pero no puede. No como solía perderme con Wesley.

Me aparté, furiosa conmigo misma. ¿Cómo podía pensar en Wesley cuando estaba besando a un chico como Toby Tucker? ¿Qué me pasaba?

—¿Hay algún problema? —me preguntó Toby.

—No, nada —mentí—. Es que... probablemente deberíamos empezar a documentarnos para los trabajos.

—Sí, tienes razón.

No parecía irritado, ofendido ni abatido en absoluto. Modales perfectos, sonrisa perfecta, el chico perfecto.

Entonces, ¿por qué no me sentía perfectamente feliz?

24

Wesley estuvo rondándome por la mente los siguientes días, lo que me puso de muy mal humor (es decir, peor de lo habitual).

No quería pensar en él. Quería pensar en Toby, que evidentemente era demasiado bueno para mí. Él notaba que estaba de mala uva; sin embargo, en lugar de presionarme para que le contara la causa, simplemente me apretaba la mano, me besaba en la mejilla y me compraba golosinas con la esperanza de hacerme sonreír de nuevo. ¿Cómo podía estar pensando en otro tío (un tío insufrible, egoísta y mujeriego), cuando tenía justo delante a uno tan maravilloso? Tal vez alguien iba a tener que propinarme una bofetada o someterme a electrochoques, como hacen con los locos en las películas. Puede que eso me hiciera entrar en razón.

Pero Wesley parecía estar por todas partes. Siempre estaba subiéndose a su coche cuando yo iba al aparcamiento del instituto o lo tenía medio metro por delante de mí en la fila del almuerzo. ¿Os hacéis una idea de lo difícil que es olvidarte de que alguien existe cuando estás viéndolo constantemente? Pues muchísimo. Durante un segundo, hasta me pregunté si estaría haciéndolo a propósito (como si estuviera acosándome o algo así), pero descarté esa idea cuando me di cuenta de que ya ni siquiera me miraba.

Como si estuviera demasiado cabreado por lo que le había dicho e hiciera como si no me viera.

Debería haber sido un alivio no tener esos ojos escalofriantes observándome, pero no lo era en absoluto. Me dolía. Cada vez que veía a Wesley, me invadía una avalancha de emociones: rabia, tristeza, dolor, irritación, pesar, deseo y, lo peor de todo, culpa. Sabía que no debería haberle dicho esas cosas sobre sus problemas de apego... aunque fueran completamente ciertas. Sin embargo, a pesar de la necesidad de disculparme, mantuve la boca cerrada. Sinceramente, prefería hacerle frente a la idea de que era una persona horrible antes que pasar por otra conversación incómoda con él.

Pero no pude evitar la conversación con su hermana.

Estaba en la biblioteca una mañana, intentando encontrar un libro que no incluyera vampiros románticos ni críos volando sobre dragones, cuando se me acercó Amy. Os juro que fue tan sigilosa que no tuve ocasión de huir. Estaba sola y, un instante después, la tenía a mi lado. Había caído en una emboscada.

—Bi... Bianca —balbuceó. Se retorcía las manos y tenía la mirada clavada en el suelo, como si hablar conmigo le costara un esfuerzo sobrehumano.

—Ah. Esto... hola, Amy. —Dejé en la balda el libro que estaba examinando—. ¿Qué pasa?

No me volví hacia ella y fingí que seguía echándole un vistazo a los libros que tenía delante. No quería mirarla. Para empezar, se parecía demasiado a su hermano y yo estaba intentando (y fracasando rotundamente) olvidarme de él. Y, además, no podía soportar mirarla a los ojos cuando arremetiera contra mí, y estaba segura de que se disponía a hacerlo. Aunque no podía culparla. Bueno, vale, no me imaginaba a la pequeña y tímida Amy arremetiendo contra nada, pero aun así...

–Yo, eh... tengo algo que decirte –empezó, intentando sonar decidida.

O quizás Amy estuviera enfadada conmigo por facilitarle a Wesley que siguiera con su «estilo de vida». Quizá quería culparme de la distancia que había entre ellos. Si ese era el caso, ansiaba defenderlo, decirle que su abuela estaba dándole una imagen falsa de Wesley, que no era mal chico... y que, desde luego, no era mal hermano. Pero sabía que no debía involucrarme. Yo no era quién para entrometerme en los problemas familiares de Wesley. Él ya ni siquiera formaba parte de mi vida.

–Vale, dime.

«Allá vamos –pensé–. Diga lo que diga, no llores.»

–Yo... quería... –respiró hondo– darte las gracias.

–¿Qué? –Me volví para mirarla. Seguro que no la había entendido bien. Era imposible.

–Gracias –repitió–. Por Wesley. Está... está muy cambiado, y sé que tiene que ser por ti. Me... me alegra, así que gracias.

Antes de que pudiera pedirle que se explicara (que hablara despacio para seguirla), Amy dio media vuelta y se alejó a toda prisa, con sus rizos castaños balanceándose tras ella. Yo me quedé de pie en medio de la biblioteca, completamente confundida.

Y la cosa empeoró aún más ese día.

No me sorprendió ver a Wesley doblando la esquina después del almuerzo mientras yo sacaba unos cuadernos de mi taquilla. Como he dicho, estaba por todas partes.

Vikki iba con él, aferrándose a su brazo y agitando el pelo como la protagonista de un anuncio de champú. Ella se reía, pero me habría apostado cualquier cosa a que lo que fuera que había dicho Wesley no era tan gracioso. Solo lo hacía para alimentar su ego... como si hiciera falta que fuera más grande.

—Ven aquí —le dijo con una risita mientras tiraba de él hacia un hueco entre las taquillas a tres metros de donde yo estaba—. Quiero hablar contigo.

«¿Hablar? —pensé—. Ya, claro.»

Os juro que intenté no escuchar. Sabía que oírlos flirtear solo conseguiría alterarme, pero Vikki tenía una voz fuerte y chillona y estaban muy cerca de mí... y, sí, una pequeña y masoquista parte de mí no pudo contenerse. Me puse a colocar los libros en el fondo de la taquilla, intentando hacer suficiente ruido para no oír la conversación.

—¿Qué vas a hacer para el baile de graduación? —preguntó Vikki.

—No he planeado nada —respondió Wesley.

Moví mis apuntes de sitio armando estruendo con la esperanza de que, si no podía ahogar sus palabras, por lo menos se dieran cuenta de que estaba allí y se fueran a morrearse a otro lado. Bueno, todavía no estaban metiéndose mano, pero los conocía a los dos lo suficiente para saber que no tardarían mucho.

—Bueno —dijo Vikki, que o bien no me había oído o bien le daba igual—. He pensado que podríamos ir juntos.

No me hizo falta mirar para tener la certeza de que estaba pasándole con suavidad las largas uñas pintadas por el brazo. Vikki utilizaba los mismos truquitos con todos los tíos.

—He pensado que después del baile podríamos pasar un rato a solas… en tu casa, por ejemplo.

Sentí el intenso deseo de vomitar. Agarré mis libros, cerré la taquilla de un portazo y me preparé para marcharme pitando a mi siguiente clase antes de tener que oír cómo Wesley aceptaba.

«¡Son tal para cual! —pensé con amargura—. Ojalá pillen una enfermedad venérea. A la mierda.»

Pero Wesley respondió antes de que yo pudiera dar un paso.

—Me parece que no, Vikki.

Me quedé paralizada.

¿Qué? ¿Cómo? Rebobinemos un momentito, por favor. ¿Wesley acababa de rechazar a una chica? ¿A una chica dispuesta a hacérselo pasar de muerte en la cama? Debía de estar soñando.

Vikki parecía estar experimentando una reacción similar.

—¿Qué? ¿Qué quieres decir?

—Que no estoy interesado —dijo Wesley—. Pero estoy seguro de que hay un montón de chicos a los que les encantaría ir contigo. Lo siento.

—Ah. —Vikki salió del hueco tambaleándose y con una expresión dolida y sorprendida en la cara—. Está… está bien. No pasa nada. Se me ocurrió pedírtelo. —Vaciló un segundo—. Supongo que nos veremos luego. Tengo que ir a clase. Adiós.

A continuación, se marchó pasillo abajo, claramente confundida. Y no era la única.

¿Esa era la diferencia de la que hablaba Amy? ¿A Wesley le había dado de pronto por ser menos promiscuo? Si ese era el caso, ¿cómo iba a ser por mí?

Vi cómo Wesley salía del hueco. Y entonces, por primera vez en días, me miró. Su mirada se encontró con la mía y una leve sonrisa le tiró de las comisuras de la boca, pero no pude leer la expresión de sus ojos, aunque noté que ya no estaba enfadado. Ese descubrimiento hizo que una sensación de alivio me recorriera al instante los músculos tensos.

Saber que no estaba cabreado conmigo consiguió que el sentimiento de culpa disminuyera un poco... pero no del todo. Lo cierto era que le había dicho cosas muy desagradables y, en ese segundo, mientras lo miraba a los ojos, pensé en hablar con él, en pedirle disculpas. Lo pensé, pero no dije ni una palabra.

Wesley dio un paso hacia mí y, de repente, recordé quién era yo... y quién era él. Aunque el que hubiera rechazado a Vikki era sin lugar a dudas sorprendente, eso no cambiaba el hecho de que yo no tenía ninguna posibilidad con él; que él nunca querría una relación de verdad... y menos aún conmigo. Por no hablar de que yo estaba saliendo con Toby. Además, mi vida iba mejorando poco a poco, y sabía que hablar con Wesley solo conseguiría complicármela otra vez. No pensaba castigarme de esa manera.

Di media vuelta y eché a correr por el pasillo, fingiendo que no lo oía llamarme.

Reduje la velocidad cuando giré por otro pasillo y vi a Toby (¿mi novio?, ya no estaba segura de cómo iba eso) esperándome junto a las viejas máquinas expendedoras averiadas. Me sonrió mientras se colocaba bien las gafas y noté que se alegraba sinceramente de verme. ¿Yo estaba igual de feliz de verlo? Sí, claro que sí; pero la sonrisa que se dibujó en mi cara me pareció artificial.

Toby me rodeó los hombros con un brazo cuando me acerqué.

–Hola.

–Hola –dije con un suspiro.

Se inclinó y me besó en los labios antes de preguntar:

–¿Te parece bien que te acompañe a clase?

Eché un vistazo por encima del hombro en dirección al pasillo vacío.

–Claro –murmuré mientras miraba de nuevo hacia delante. Apoyé la cabeza en su hombro–. Me parece... perfecto.

Unos días después, me encontré a Jessica esperándome fuera del aula de Cálculo después de la tercera hora.

–¿Podemos hablar de camino a Inglés? –me preguntó sin mostrar ese brío habitual al andar ni balancear la coleta. Me di cuenta de que pasaba algo por la forma en que se mordía el labio inferior.

–Eh... claro –contesté mientras me colocaba los libros bajo el brazo derecho. Me inquieté al ver tan seria a mi amiga, que por lo general estaba constantemente alegre–. ¿Pasa algo?

–Más o menos... Bueno, no.

Nos abrimos paso por los pasillos abarrotados intentando no pisarle los pies a demasiada gente. Esperé a que Jessica hablara mientras mi curiosidad y preocupación iban en aumento. En realidad quería decirle: «¡Vamos! ¡Suéltalo ya!». Pero, por suerte, mi amiga empezó a hablar antes de que mi famosa poca paciencia se agotara.

–Se trata de Toby y de ti. Creo que no deberíais estar juntos.

Lo dijo tan rápido que al principio no estuve segura de haberla oído bien.

–Lo siento, Bianca –gimió–. No es asunto mío, pero no veo chispa entre vosotros, ¿sabes? Aunque Casey no está en absoluto de acuerdo. Ella dice que estás mejor con Toby, y puede que tenga razón, pero... no lo sé. No pareces tú misma cuando estás con él. Por favor, no te enfades conmigo.

Negué con la cabeza, intentando contener el repentino impulso de soltar una carcajada. ¿Eso era todo? ¿Eso era lo que la tenía preocupada? Había llegado a pensar que alguien estaba muriéndose o que, como mínimo, su madre le había prohibido ir al baile de graduación. En cambio, resultó que estaba preocupada por mí.

–No estoy enfadada contigo, Jessica.

–Ah, bien. –Suspiró–. Tenía miedo de que te cabrearas.

Vaya. ¿Era tan bruja, tan horrible que a una de mis mejores amigas le daba miedo darme su opinión por si me ponía hecha una furia? Dios, eso me hizo sentir como una mierda.

–No es que no me guste Toby –continuó Jessica–, porque me gusta. Es dulce, y es bueno contigo, y sé que necesitas eso después... después de lo de mi hermano.

Creo que el corazón dejó de latirme un segundo. Me paré en seco, pasmada, y después de un momento me volví hacia Jessica.

–¿Cómo te...? –logré susurrar.

–Jake me lo contó. Estaba hablándole de mis amigas cuando surgió tu nombre y me contó lo vuestro hace unos años. Ahora se siente fatal por ello y quería que te pidiera disculpas en su nombre, pero no quise sacar el tema. Lo siento, Bianca. Debe de resultarte muy duro ser mi amiga después de lo que te hizo Jake.

–No es culpa tuya.

–Pero no puedo creerme que no me dijeras nada. Debió de rondarte por la cabeza todo el tiempo cuando Jake vino de visita. ¿Por qué no me lo contaste?

–No quería que pensaras mal de tu hermano. Sé lo que lo admiras y no quería estropear vuestra relación.

Jessica no dijo nada. Simplemente, dio un paso adelante y me abrazó, apretándome contra ella todo lo humanamente posible. Al principio fue un poco incómodo, sobre todo teniendo en cuenta que sus enormes tetas casi me asfixian, pero poco a poco me dejé llevar por aquella muestra de afecto. Le rodeé la cintura con los brazos y le devolví el abrazo. Saber que contaba con alguien que podía abrazarme así, sin esperar nada a cambio, me hizo sentir una de las personas más afortunadas del mundo.

–Te quiero, Bianca.

–Eh… ¿a qué viene eso?

Jessica me soltó y retrocedió un paso.

–Te quiero –repitió–. A ti y a Casey. Sois las mejores amigas que he tenido, y no sé qué habría sido de mí si no os hubiera conocido en segundo. Seguramente todavía dejaría que esas pijas me avasallaran. –Se miró los pies–. Vosotras dos siempre intentáis protegerme; por ejemplo, ocultándome lo mal que se portó mi hermano. Y yo quiero hacer lo mismo por ti.

–Eso es precioso, Jessica.

–Por eso te digo esto –prosiguió–. Sé que Toby es simpático y que le gustas, pero no veo una conexión. Quiero decir que me alegro de que vuelvas a pasar tiempo conmigo y con Casey, y es genial que Toby salga con nosotras a veces, pero a mí lo que me importa es que tú seas feliz. Puede que parezcas feliz, pero no creo que lo seas. –Respiró hondo y se tiró del dobladillo de la falda con estampado floral–. No quiero sacar el tema, pero... he oído algunos rumores sobre Wesley.

Me mordí el labio.

–Ah.

–Últimamente no se comporta como un ligón. No lo he visto con ninguna chica y he pensado... –me miró con sus grandes ojos color chocolate–, he pensado que tal vez te gustaría saberlo. En fin, sé que sientes algo por él y...

Negué con la cabeza.

–No –repuse–, no es tan simple.

–Vale –dijo asintiendo–. Te lo he dicho por si te interesaba. Lo siento.

Suspiré y sonreí mientras la cogía de la mano y tiraba de ella hacia el aula de Inglés.

–No pasa nada. Te agradezco tu preocupación, de verdad. Y puede que tengas razón... Me refiero a lo mío con Toby. Pero esto es el instituto. Solo estamos saliendo. No estoy buscando marido ni nada por el estilo, así que no creo que debas preocuparte por mí todavía. Estoy bien.

–Casey dice que, por lo general, mientes cuando dices eso –me informó Jessica.

–¿De verdad?

Le solté la mano cuando entramos en la clase, decidida a evitar responder a aquella acusación. Lo que me resultó bastante fácil, la verdad. Conseguí fingir que me había distraído (bueno, no fue del todo falso) cuando me di cuenta de que había un papel doblado sobre mi pupitre.

Me senté y lo cogí, suponiendo que era de Casey. ¿Quién más me escribiría una nota? Pero Casey siempre dibujaba una cara sonriente sobre la «i» de mi nombre y la escritura de la parte exterior de la nota era pequeña, curvada y desconocida.

Desdoblé el papel, confundida, y leí la frase garabateada en la parte superior.

«Wesley Rush no persigue a las chicas, pero a ti sí te perseguiré.»

25

Hubo un tiempo en el que pensaba que ser la Duff significaba no tener problemas de chicos. Era evidente que estaba equivocada. ¿Cómo había pasado eso? ¿Cómo había acabado yo, la chica fea, en medio de un triángulo amoroso? No era una romántica. En realidad, ni siquiera quería salir con nadie. Pero ahí estaba, debatiéndome entre dos chicos atractivos con los que, naturalmente, no debería haber tenido ninguna posibilidad. Creedme, no es tan glamuroso como suena.

Por un lado, tenía a Toby. Listo, guapo, divertido, educado, sensible y práctico. Toby era perfecto en todos los sentidos. Bueno, era un poco friki, pero eso era lo que lo hacía tan adorable. Me gustaba estar con él. Siempre anteponía mis necesidades, me respetaba y nunca perdía la paciencia. No había absolutamente nada de lo que quejarse en Toby Tucker.

Y, por el otro lado, estaba Wesley. Un cretino. Un imbécil. Un arrogante y mujeriego niño rico que anteponía el sexo a todo lo demás. Estaba increíblemente bueno, por supuesto, pero podía sacarme de quicio. Era insufriblemente encantador y aquella sonrisita tan sexy me crispaba los nervios. Pero había algo en él que hacía que se me acelerara el corazón y me diera vueltas la cabeza. Con él, no tenía miedo de comportarme como una bruja. Odiaba admitirlo, pero Wesley me entendía. Me sentía yo misma cuando estaba con él, mientras que con Toby siempre estaba intentando ocultar mis manías.

Dios, la vida era mucho más fácil cuando nadie se fijaba en mí.

La nota de Wesley me pesaba una tonelada en el bolsillo trasero cuando me dirigí al aparcamiento para estudiantes esa tarde. Decir que estaba confundida habría sido quedarse tremendamente corta. Aquella única frase me había dejado con un millón de preguntas, pero había una en particular que no podía sacarme de la cabeza: «¿Por qué narices quiere estar conmigo Wesley?».

En serio. Aquel tío tenía docenas de chicas que matarían por estar con él. ¿Por qué yo? Vamos a ver, ¿no fue él el que dijo que yo era la Duff? ¿De qué iba todo eso?

Pero, cuando llegué a casa, todavía empeoró más.

Por sugerencia de Toby, había empezado a leer *Cumbres borrascosas* en mi tiempo libre. Sinceramente, los personajes principales me irritaban tanto que me costaba seguir leyendo. Estaba planteándome dejarlo por ese día, cuando una línea de diálogo me llamó la atención:

«Mi amor por Linton es como el follaje de los bosques: el tiempo lo cambiará, yo ya sé que el invierno muda los árboles. Mi amor por Heathcliff se parece a las eternas rocas profundas, es fuente de escaso placer visible, pero necesario.»

Por estúpido que suene, aquel pequeño fragmento se me metió en la cabeza, como una canción que odias pero no puedes parar de cantar. Intenté seguir leyendo, pero las palabras seguían dándome vueltas por la cabeza. Volví la página y leí aquellas líneas una y otra vez. Estaba tratando de averiguar por qué me habían impresionado tanto cuando me interrumpió el sonido del timbre.

–Gracias a Dios –murmuré, aliviada de tener una razón para cerrar el maldito libro. Salté de la cama y bajé corriendo las escaleras–. ¡Ya voy! –grité–. ¡Un segundo!

Abrí la puerta principal, esperando encontrar a Toby, que me había dicho que tal vez se pasaría luego. Pero el hombre que estaba en el porche era un cincuentón regordete y pelirrojo. No se trataba de mi novio, evidentemente. Llevaba un gastado uniforme verde y una gorra que no parecían de su talla. La chapa identificativa de la chaqueta decía «JIMMY». Sostenía un ramo de flores en la mano derecha y tenía una tablilla sujetapapeles metida bajo el brazo.

–¿Eres la señorita Bianca Piper? –me preguntó.

–Eh... sí.

Sus ojos rasgados se iluminaron con una sonrisa.

–Firma esto, por favor –dijo dándome la tablilla y un boli–. Felicidades.

–Esto... gracias –respondí mientras le devolvía la tablilla.

Me entregó el ramo, que vi entonces que estaba lleno de auténticas rosas rojas, y se sacó un sobre blanco del bolsillo trasero.

–Esto también es para ti –me dijo–. Eres una chica con suerte. No suelo hacer entregas como esta para alguien de tu edad. –Me sonrió–. Ay, el amor juvenil.

¿Amor juvenil? Dios, tuve que contener el impulso de corregirlo, de darle mi largo discurso sobre que los adolescentes no se enamoran, pero el hombre seguía hablando.

–Tu novio debe de ser una auténtica joya. Pocos chicos son tan atentos a esa edad.

Me quedé mirando las rosas y respondí:

–Probablemente tenga razón.

¿Toby todavía seguía intentando animarme? Dios, era un cielo. Lástima que yo no me mereciera toda esa amabilidad.

Después de darle las gracias al repartidor, cerré la puerta. Me sentí culpable por considerar mi situación un triángulo amoroso. Solo estábamos Toby y yo, y Wesley permanecía al margen, lejos de nosotros... o así debería haber sido. Así se merecía Toby que fuera.

Dejé el ramo en la mesa de la cocina y abrí el sobre esperando encontrar una carta cursi aunque perfectamente redactada de mi perfecto novio. Era la clase de cosas de la que normalmente me burlaría, pero a Toby se lo perdonaría. A veces, era muy hábil con las palabras. Eso ayudaría cuando se convirtiera en un político famoso.

Pero la letra de la carta era la misma que la de la nota que llevaba en el bolsillo trasero. Esa vez, sin embargo, había mucho más que asimilar.

«Bianca:

»Puesto que sigues huyendo de mí en el instituto y, si la memoria no me falla, el sonido de mi voz te provoca pensamientos suicidas, he decidido que una carta podría ser la mejor manera de decirte lo que siento. Así que préstame atención.

»No voy a negar que tenías razón. Todo lo que dijiste el otro día era verdad. Pero el miedo a estar solo no es el motivo por el que te persigo. Ya sé lo cínica que eres, y probablemente me vengas con alguna respuesta sarcástica cuando leas esto, pero la verdad es que te persigo porque creo sinceramente que estoy enamorándome de ti.

»Eres la primera chica que me ha visto tal como soy. Eres la única que me ha cantado las cuarenta. Me pones en mi sitio; pero, al mismo tiempo, me entiendes mejor que nadie. Eres la única persona lo bastante valiente para criticarme. Tal vez seas la única persona que se ha fijado lo suficiente en mí como para encontrar mis defectos... y es evidente que has encontrado muchos.

»Llamé a mis padres. Van a volver a casa este fin de semana para hablar con Amy y conmigo. Al principio, tenía miedo de hacerlo, pero tú me inspiraste. Sin ti, nunca podría haberlo logrado.

»Pienso en ti mucho más de lo que a cualquier hombre que se precie le gustaría admitir y me corroen los celos por Tucker (algo que nunca pensé que diría). Pasar página después de ti es imposible. Ninguna otra chica puede mantenerme alerta como tú. Nadie más me hace QUERER hacer el ridículo escribiendo cartas cursis como esta. Solo tú.

»Pero sé que yo también tengo razón. Sé que estás enamorada de mí, aunque salgas con Tucker. Puedes mentirte a ti misma si quieres, pero la realidad acabará alcanzándote. Estaré esperándote cuando eso pase... te guste o no.

»Con amor,

»Wesley

»P.D.: Sé que ahora mismo estarás poniendo los ojos en blanco, pero me da igual. Para serte sincero, siempre me ha parecido muy sexy.»

Me quedé mirando la carta un buen rato. Por fin entendía por qué Amy me había dado las gracias. Wesley estaba intentando arreglar las cosas... por mí. Por lo que le había dicho. Resulta que mis palabras habían conseguido atravesar esa dura cabezota. Aquello me dejó atónita.

Tardé un segundo en asimilar las otras sorpresas. Palabras como «amor» y «única» saltaron de la página hacia mí. Era mi primera carta de amor (no es que nunca hubiera querido una, pero aun así…) y ni siquiera era de mi novio. Me la había mandado el chico equivocado. El chico equivocado quería estar conmigo. Wesley era el chico equivocado. ¿O era justamente el chico correcto?

Estaba tan ensimismada en mis pensamientos que di un brinco cuando sonó el teléfono y salí disparada por el linóleo para llegar a tiempo.

–¿Sí?

–Hola, Bianca –dijo Toby.

El corazón se me aceleró y me bombeó vergüenza por las venas. La carta de Wesley, que aún sostenía, me quemaba los dedos de la mano derecha, pero me las arreglé para sonar normal cuando respondí:

–Hola, Toby. ¿Estás de camino?

–No. –Suspiró–. Mi padre me ha encargado unos recados, y no puedo ir esta tarde. Lo siento mucho.

–No pasa nada. –No debería haberme sentido aliviada, pero así era. Ver a Toby habría significado esconder las flores y entrar en una posible maraña de mentiras, y todos sabemos lo mala mentirosa que soy–. No te preocupes.

–Gracias por ser tan compresiva. Estaba deseando pasar un rato contigo. Casi no nos vemos en el instituto. –Se quedó callado un momento–. ¿Tienes planes para mañana por la noche?

–No, nada.

–En ese caso, ¿quieres que salgamos? Toca un grupo en el Nest y he pensado que podíamos ir. Tus amigas también pueden venir, por supuesto. ¿Te gustaría?

—Suena genial.

¿Lo veis? Podía arreglármelas con mentiras pequeñas como esa. Odiaba la música en directo y no soportaba el Nest, pero fingir lo contrario haría feliz a Toby, y Casey se pondría contentísima al saber que también estaba invitada. Así que, ¿por qué no? Las mentiras piadosas eran bastante fáciles; pero, con algo más grande, estaba jodida.

—Guay —dijo Toby—. Te recojo a las ocho.

—Vale. Adiós, Toby.

—Hasta mañana, Bianca.

Colgué el teléfono, pero mis pies se negaron a moverse. La carta todavía me abrasaba la piel y me encontré mirando fijamente aquellas tentadoras palabras. ¿Por qué eso no era más fácil? ¿Por qué tenía que venir Wesley y hacerme cuestionarlo todo? Me sentía como si estuviera traicionando a Toby con cada frase que leía. Como si estuviese engañándolo.

Pero ahora sabía que cada vez que besaba a Toby estaba hiriendo a Wesley.

—¡Ahhh!

Con un grito que me explotó en el pecho y se abrió paso a través de mis pulmones, arrugué la carta formando una bola apretada y la lancé al otro lado de la habitación con todas mis fuerzas. El papel se movió despacio por el aire antes de rebotar con delicadeza en el papel tapizado de flores y aterrizar en el suelo. Y entonces, con la garganta dolorida, me desplomé en el suelo, hundí la cara en las manos y (lo admito) lloré. Lloré de frustración y confusión; pero sobre todo por mí, por verme atrapada en esa situación.

Pensé en Cathy Earnshaw, la protagonista malcriada

y egoísta de *Cumbres borrascosas*, y recordé el fragmento que había estado leyendo antes de que sonara el timbre. Pero, cuando las palabras fluyeron por mi mente, eran ligeramente diferentes:

«Mi amor por Toby es como el follaje de los bosques: el tiempo lo cambiará, yo ya sé que el invierno muda los árboles. Mi amor por Wesley se parece a las eternas rocas profundas, es fuente de escaso placer visible, pero necesario.»

Mi cabeza se movió adelante y atrás de manera febril. «Atracción –me corregí–. Mi atracción por Wesley es bla-bla-bla.» Me sequé los ojos y me puse de pie, intentando calmar mi respiración entrecortada. A continuación, di media vuelta y volví a subir al piso de arriba.

De pronto quería saber cómo terminaba el libro.

26

Después de quedarme despierta toda la noche leyendo (y doblando la ropa por lo menos diez veces), descubrí que *Cumbres borrascosas* no tenía un final feliz. Por culpa de la estúpida, malcriada y egoísta de Cathy (sí, ya lo sé, yo no era quién para hablar, pero es la verdad), todo el mundo terminaba sufriendo. Su decisión arruinó las vidas de las personas que más le importaban. Porque eligió la convención en lugar de la pasión. Siguió a la cabeza en lugar de al corazón. A Linton en lugar de a Heathcliff.

A Toby en lugar de a Wesley.

Eso, decidí mientras llevaba a rastras mi agotado trasero al instituto a la mañana siguiente, no era un buen presagio. Normalmente no creo en presagios, señales ni nada de esa mierda sobre el destino; pero las similitudes entre mi situación y la de Cathy Earnshaw eran demasiado inquietantes para ignorarlas. No podía evitar preguntarme si el libro intentaba decirme algo.

Era vagamente consciente de que estaba dándole demasiada importancia; pero la falta de sueño, unida al estrés de todo lo demás, llevó mi mente por unos derroteros muy interesantes. Interesantes, pero nada productivos.

Me sentí prácticamente como un zombi todo el día hasta que, en medio de la clase de Cálculo, algo me despertó por fin.

–¿Te has enterado de lo de Vikki McPhee?

–¿Lo de que se ha quedado preñada? Sí, me he enterado esta mañana.

Levanté la cabeza bruscamente del problema que estaba intentando resolver sin muchas ganas. Había dos chicas sentadas, una al lado de otra, en la fila delante de la mía. Reconocí a una de ellas: era una animadora de tercero.

–Dios, menuda zorra –dijo la animadora–. A saber quién es el padre. Se acuesta con todo el mundo.

Detesto admitirlo, pero mi primera reacción al oírlo fue un temor egoísta. Pensé en Wesley. Sí, había rechazado a Vikki en el pasillo hacía unos días, pero ¿y si había cambiado algo? ¿Y si la carta había sido una broma, un juego para confundirme? ¿Y si Vikki y él habían...?

Me obligué a olvidar aquella idea. Wesley tenía cuidado, siempre usaba condón. Además, la chica tenía razón: Vikki se acostaba con todo el mundo. Las probabilidades de que Wesley fuera el padre eran casi nulas. Y, de todas formas, yo no tenía derecho a preocuparme por eso. No era mi novio. Aunque prácticamente me hubiera declarado su amor en una carta. Yo estaba con Toby, y lo que quiera que Wesley decidiera hacer no era asunto mío.

Mi segunda reacción fue pensar en Vikki. Diecisiete años, a punto de graduarse y, si los rumores eran ciertos, embarazada. Menuda pesadilla. Y todo el mundo lo sabía. Pude oír cómo la gente cotilleaba al respecto en el pasillo cuando salí de Cálculo. Los chismes no tardaban en extenderse en un instituto del tamaño de Hamilton.

Vikki McPhee estaba en la mente de todo el mundo, incluyendo la mía. Así que, cuando salí de un cubículo del baño unos minutos antes de Inglés y me encontré a

Vikki de pie frente al lavamanos retocándose el pintalabios rosa intenso, tuve que hacer un esfuerzo para apartar la mirada.

Pero tenía que decir algo. Bueno, no es que estuviéramos muy unidas ni nada de eso, pero comíamos juntas todos los días.

—Hola —masculló.

—Hola —contestó mientras seguía aplicándose el carmín por el labio inferior.

Abrí el grifo y observé mi reflejo en el espejo, intentando con todas mis fuerzas no mirarla de reojo. ¿De cuántos meses estaba? ¿Sus padres ya se habrían enterado?

—No es verdad, ¿sabes?

—¿Qué?

Vikki tapó el pintalabios y se lo guardó en el bolso. Estaba mirándome por el espejo y noté que tenía los ojos un poco rojos.

—No estoy embarazada —me dijo—. Bueno, pensé que lo estaba, pero la prueba dio negativo. Me la hice hace dos días. Pero supongo que alguien me oyó contárselo a Jeanine y a Angela y… da igual. Pero no estoy embarazada.

—Ah. Bueno, me alegro.

Sí, es probable que no fuera exactamente la respuesta más adecuada en esas circunstancias, pero es que me había pillado desprevenida.

Vikki asintió con la cabeza y le dio un pequeño tirón a un mechón rubio rojizo.

—Me sentí aliviada. No sé cómo se lo habría dicho a mis padres. Y el tío nunca hubiera sido un buen padre.

—¿Quién?

Qué pregunta tan egoísta.

–Un tío cualquiera… Eric.

«Gracias a Dios», pensé. Luego, por supuesto, me sentí increíblemente culpable. Ese no era el momento de estar pensando en mí.

–No es más que un estúpido miembro de una fraternidad al que le pone tirarse a chicas de instituto. –Bajó la mirada, de modo que ya no pude ver sus ojos en el espejo–. Y me importó un bledo. Dejé que me usara, y nunca pensé… ni siquiera cuando el condón se rompió… –Se quedó callada mientras negaba con la cabeza–. En fin, que me alegro de que diera negativo.

–Claro.

–Pero tuve miedo –continuó–. Me volví loca esperando el resultado. No podía creer que estuviera en esa situación, ¿sabes?

–Me lo imagino –contesté, pero no me resultaba nada sorprendente.

Se trataba de Vikki, después de todo. ¿No llevaba tiempo arriesgándose a que ocurriera algo así? Acostándose con chicos por los que no sentía nada y olvidándose de las consecuencias.

«Igual que hice yo…»

Vale, en mi caso no habían sido «chicos», Wesley era el único. Y sí sentía algo por él… ahora, después de dejar de acostarme con él. Pero eso solo era… Bueno, no sé cómo lo llamaríais vosotros. No era exactamente suerte. ¿Coincidencia, quizás? De cualquier forma, era lo suficientemente lista como para saber que eso no sucedía a menudo.

Pero sí me había olvidado de las consecuencias. Y, de repente, se me ocurrió con qué facilidad Vikki y yo podríamos haber intercambiado los papeles. Yo podría haber sido la chica de la que todos estaban hablando. Yo podría haber pensado que me había quedado embarazada. O podría haber sucedido algo aún peor. En fin, tomaba la píldora y Wesley y yo siempre tomábamos precauciones, pero esas cosas fallan a veces. Podrían habernos fallado a nosotros fácilmente. Y, sin embargo, allí estaba, juzgando a Vikki por hacer prácticamente lo mismo. Menuda hipócrita estaba hecha.

«No eres una puta.» Me vino un repentino recuerdo de Wesley aquella última noche en su cuarto diciéndome quién era yo exactamente. Diciéndome que el resto del mundo estaba tan confundido como yo. Que no era una puta y que no estaba sola.

No conocía muy bien a Vikki. No sabía cómo eran las cosas en su casa ni nada tan personal aparte de sus problemas de chicos. Y allí en el baño, escuchando mientras me contaba su historia, no pude evitar preguntarme si ella también había estado huyendo de algo. Si yo había estado juzgándola, pensando que era una zorra todo ese tiempo, cuando en realidad estábamos viviendo vidas aterradoramente parecidas.

Llamar a Vikki zorra o puta era como llamar a alguien Duff. Era insultante e hiriente, y uno de esos motes que simplemente se alimentaban de un miedo interior que toda chica sufre de vez en cuando. Zorra, bruja, mojigata, calientabraguetas, cabeza hueca... Todo era lo mismo. Todas las chicas sentían que alguna de esas etiquetas machistas las describía en algún momento. Así que, ¿quizá todas las chicas se sentían también la Duff?

—¡Dios, llego tarde! —exclamó Vikki cuando sonó el timbre de entrada—. Tengo que irme.

La observé mientras cogía el bolso y los libros de la encimera, preguntándome qué estaría pasando por su cabeza. ¿Todo eso habría hecho que se diera cuenta de las consecuencias de sus elecciones? De nuestras elecciones.

–Hasta la vista, Bianca –dijo dirigiéndose hacia la puerta.

–Hasta luego –contesté. Después, sin pretenderlo, añadí–: Y, oye, Vikki... lo siento. Es un asco la forma en la que la gente habla de ti. Pero recuerda que lo que ellos digan no importa.

De nuevo, pensé en Wesley y en lo que me había dicho en su cuarto.

–La gente que te insulta solo intenta sentirse mejor. Ellos también la han cagado en algún momento. No eres la única.

Vikki parecía sorprendida.

–Gracias –dijo. Abrió la boca como si fuera a añadir algo más, pero luego la cerró.

Y entonces, sin otra palabra, salió del baño.

Por lo que yo sabía, quizá Vikki acabara enrollándose con otro tío esa misma noche. Quizá no hubiera aprendido nada de esa experiencia. O quizás hubiera cambiado su comportamiento por completo (como mínimo, puede que a partir de ahora tuviera más cuidado). Quizá nunca me enterase. Era su elección. Su vida. Y yo no era quién para juzgarla. No podía juzgar a nadie.

Mientras recorría el pasillo de camino a Inglés, con cinco minutos de retraso, decidí que me lo pensaría dos veces antes de volver a llamar puta a Vikki (o a cualquiera). Porque ella era como yo. Como todos los demás. Eso es algo que todas las personas tenemos en común. Todas somos zorras, brujas, mojigatas o Duff.

Yo era la Duff. Y eso era algo bueno. Porque alguien que no se siente un Duff no tiene amigos. Todas las chicas se sienten feas a veces. ¿Por qué había tardado tanto en entenderlo? ¿Por qué me había estresado por esa estúpida palabra durante tanto tiempo cuando era tan simple? Debería estar orgullosa de ser la Duff. Orgullosa de tener unas amigas maravillosas que pensaban que eran mis Duff.

–Bianca –me saludó la señora Perkins cuando entré en el aula y ocupé mi sitio–. Bueno, supongo que es mejor tarde que nunca.

–Siento haber tardado tanto –contesté.

Cuando llegué a casa esa tarde, estaba demasiado agotada para subir las escaleras, así que me desplomé en el sofá y me quedé frita. Había olvidado lo bien que sentaba echarse una cabezadita en mitad del día. Me parece que los europeos dieron en el clavo con sus siestas. Los estadounidenses deberían considerar incluirlas en sus agendas diarias porque son increíblemente revigorizantes, sobre todo después de un día movidito como el mío.

Eran casi las siete cuando desperté, lo que no me dejaba mucho tiempo para prepararme para mi cita. Necesitaría casi toda la hora para arreglarme el pelo, que parecía un pajar después de dormir en el sofá. Genial.

Desde que había empezado a salir con Toby, le prestaba más atención a mi aspecto. Aunque a él no le importaban esas cosas. Probablemente me habría dicho que estaba guapa con un traje de payaso... con la peluca de colores incluida. Pero yo sentía la necesidad constante de impresionarlo. Así que me alisé el pelo y me lo recogí en una coleta alta, me puse unos pendientes de plata de clip (soy demasiado gallina para hacerme cualquier tipo de *piercing*) y encontré la blusa que me había regalado Casey cuando cumplí los diecisiete. La sedosa tela blanca estaba estampada con intrincados diseños plateados y se me ajustaba al pecho, lo que hacía que mis diminutas tetas parecieran un poco más grandes.

Ya eran casi las ocho en punto cuando bajé a duras penas las escaleras con mis sandalias de plataforma, poniendo en riesgo mi seguridad a cambio de parecer más alta. Procuré apartar la mirada cuando pasé por delante de la cocina porque la víspera papá (que evidentemente había pensado que las rosas eran un regalo de Toby) había puesto el ramo en un antiguo florero sobre la mesa del comedor. Fue un gesto encantador, pero ver las brillantes flores rojas solo conseguía hacerme recordar aquellas irritantes dudas. Así que me dirigí a trompicones a la sala de estar y me dejé caer en el sofá a esperar a Toby, prometiéndome que resolvería mi lío sentimental en algún momento del fin de semana.

A falta de algo mejor que hacer, cogí el ejemplar de la guía de programación que había sobre la mesa de centro y me puse a hojear el horario de programas. Me llamó la atención una nota adhesiva amarilla que asomaba entre las páginas y fui a la sección que señalaba. Mi padre había subrayado un maratón de *Enredos de familia* para el próximo sábado por la noche, usando el trocito de papel a modo de marcador. Sonreí, saqué un boli del bolso y garabateé «Yo hago las palomitas» en la nota amarilla. Papá lo vería cuando llegara a casa después de su reunión.

Sonó el timbre justo cuando volví a dejar la revista sobre la mesa. Me levanté tan rápido como pude sin caerme y me dirigí a la puerta, esperando encontrarme con una gran e inmerecida sonrisa de Toby. Pero la sonrisa con la que me encontré, aunque era blanca y reluciente, pertenecía a una persona completamente diferente.

–¿Mamá? –exclamé con voz entrecortada, como si fuera la protagonista de una telenovela que acaba de enterarse de que su gemela malvada sigue viva. Carraspeé, avergonzada, y añadí–: ¿Qué haces aquí? Pensaba que estabas en Tennessee.

–Y lo estaba, pero he venido a visitarte –respondió ladeando la cabeza como si fuera una estrella de cine.

Tenía el pelo rubio platino cuidadosamente recogido con horquillas en la nuca y llevaba un vestido rojo y negro hasta las rodillas. Típico de mamá.

–Pero eso son como siete horas de camino.

–Oh, créeme, lo sé. –Suspiró de manera teatral–. Siete horas y medias con mucho tráfico. Así que… bueno, ¿vas a invitarme a entrar o no?

Por la forma en la que retorcía la correa del bolso con las manos, me di cuenta de que la ponía nerviosa regresar a esa casa.

–Ah, sí –dije, apartándome a un lado–. Entra. Perdona. Pero… esto… papá no está.

–Ya lo sé. –Recorrió la sala de estar con la mirada de una forma que me hizo preocuparme por ella. Observó el sillón y el sofá que en otro tiempo le habían pertenecido como considerando si ahora se le permitía sentarse allí o no–. Tiene las reuniones de Alcohólicos Anónimos los viernes. Me lo dijo.

–¿Has hablado con él?

No me había enterado. Por lo que yo sabía, mis padres

habían estado evitando el contacto desde la reaparición de mi madre el mes pasado.

—Hemos hablado por teléfono dos veces. —Apartó los ojos de los muebles y los posó en mí. Eran como unas pesas enormes sobre mis hombros—. Bianca, cielo... —Su voz sonó suave y triste. Me dolió escucharla—. ¿Por qué no me dijiste que había vuelto a beber?

Me moví, intentando eludir su mirada.

—No lo sé —murmuré—. Supongo que esperaba que todo pasaría. No quería que te preocuparas por nada.

—Lo entiendo, pero esto es un asunto serio, Bianca. Espero que ahora lo comprendas. Si alguna vez vuelve a ocurrir, no te lo guardes. Tienes que contármelo. ¿Entiendes?

Asentí.

—Bien. —Suspiró y pareció inmensamente aliviada—. En fin, no he venido por eso.

—¿Y por qué has venido?

—Porque tu padre también me dijo otra cosita —bromeó—. Algo acerca de un chico llamado Toby Tucker.

—¿Has conducido siete horas y media porque tengo una cita?

—Tengo otras razones para estar en Hamilton —contestó—. Pero esta es la más importante. Así que, ¿es verdad que mi niña tiene novio?

—Pues... sí —dije encogiéndome de hombros—. Supongo.

—Bueno, háblame de él —pidió mamá, que al final había decidido sentarse en el sofá—. ¿Cómo es?

—Es muy agradable. ¿Cómo está el abuelo?

Mi madre entrecerró los ojos con recelo.

—Está bien. ¿Qué pasa? Estás tomando la píldora, ¿verdad?

—Por Dios, mamá, sí —gruñí—. No se trata de eso.

—Gracias a Dios. Soy demasiado joven y sexy para ser abuela.

«No me digas», pensé recordando a Vikki.

—Entonces, ¿qué pasa? —insistió—. He venido porque me enteré de que tenías una cita importante esta noche y quería que compartiéramos ese momento especial madre-hija. Pero si tienes problemas, también puedo darte algunos consejos maternales. Esta visita será una especie de dos por uno, ¿eh? Así las horas de viaje habrán valido la pena.

—Gracias —refunfuñé.

—Vamos, cielo, es broma. ¿Cuál es el problema? ¿Qué pasa con ese chico?

—Nada. Es absolutamente perfecto. Es listo, bueno y me conviene por completo. Pero hay otro chico… —Negué con la cabeza—. Es una estupidez. Estoy comportándome como una idiota. Solo necesito un poco de tiempo para pensar bien las cosas. Eso es todo.

—De acuerdo —dijo mamá mientras se ponía en pie—. Pero recuerda hacer lo que te haga feliz, ¿vale? No te mientas a ti misma porque pienses que es más seguro. La realidad no funciona así… Me parece que ya te lo había dicho.

Sí, así era. Pero llevaba tanto tiempo huyendo que ya no estaba segura de lo que quería.

—Aunque te he traído un regalito para tu cita, que puede que te ayude mientras reflexionas.

Vi con cierto horror cómo sacaba una cajita rosada y amarilla del bolso. Ningún objeto que viniera envuelto con esos colores podía ser nada bueno.

—¿Qué es? —pregunté mientras mamá depositaba la caja en mi mano extendida.

–Ábrelo y lo descubrirás, tonta.

Deshice el espantoso lazo de la caja con un suspiro y abrí la tapa. Dentro había una cadenita de plata con un pequeño colgante de metal blanco en forma de «B». Como los que llevan las chicas de primaria, como si fueran a olvidarse de su propio nombre.

Mi madre sacó el collar de la caja.

–Lo vi y pensé en ti.

–Gracias, mamá.

Dejó el bolso, se puso detrás de mí y me apartó el pelo para poder abrocharme la cadena alrededor del cuello.

–Va a sonarte cursi, así que intenta no poner los ojos en blanco, ¿vale?; pero quizás esto te ayude a recordar quién eres mientras resuelves las cosas. –Volvió a colocarme bien el pelo y se situó de nuevo delante de mí–. Perfecta. Estás preciosa, cariño.

–Gracias –contesté, y esta vez lo decía en serio. Verla me hizo darme cuenta de lo mucho que había echado de menos a mi madre.

En ese momento sonó el timbre y supe que era Toby. Mientras estiraba la mano hacia el pomo, noté que mamá se colocaba detrás de mí, preparada para no perderse nada.

Lo que faltaba.

–Hola –dije mientras abría la puerta y apartaba la mirada de la deslumbrante sonrisa de Toby.

–Hola –contestó–. Vaya, estás preciosa.

–Por supuesto que sí –intervino mi madre–. ¿Qué esperabas?

–Mamá –protesté entre dientes, lanzándole una mirada asesina por encima del hombro.

Ella se encogió de hombros.

–Hola, Toby –saludó agitando la mano–. Soy Gina, la madre de Bianca. Sí, ya lo sé, parezco más su hermana, ¿verdad?

Apreté los dientes y Toby se rió.

–Pásalo bien –me dijo mamá mientras me daba un beso en la mejilla–. Voy a recoger algunas cosas que todavía tengo aquí, pero el domingo doy una charla en una residencia de ancianos de Oak Hill, por lo que me quedaré en un hotel el fin de semana. Almorzaremos juntas mañana para que me cuentes todos los detalles.

Me sacó por la puerta de un empujón antes de que pudiera discutir, y entonces me quedé sola en el porche con Toby.

–Es graciosa –comentó él.

–Está loca –masculló yo.

–¿Qué clase de charlas da? Ha dicho que iba a una residencia de ancianos, ¿no?

–Escribió un libro sobre la autoestima.

Eché un vistazo hacia la casa y vi pasar a mamá por la ventana en dirección al cuarto en el que solía dormir, preparada para recoger las últimas cosas que había dejado atrás. No me había dado cuenta de la ironía hasta entonces. Durante los últimos meses, había estado batallando con mi propia autoestima mientras mi madre les enseñaba a otras personas a mejorar las suyas. Quizá, si hubiera hablado con ella, no habría tardado tanto en comprender las cosas.

–Da charlas por todo el país sobre aprender a aceptarse a uno mismo.

–Parece un trabajo divertido.

–Puede.

Toby sonrió, me rodeó la cintura con un brazo y bajamos los escalones del porche. Cuando llegamos al coche, suspiré y me escabullí de su brazo para entrar.

27

Casey y Jessica estaban esperando en el asiento trasero del Taurus. Ambas me sonrieron con picardía cuando subí al asiento del pasajero.

–Alguien se ha puesto sexy –dijo Casey tomándome el pelo–. Te regalé esa blusa hace nueve meses. ¿Es la primera vez que te la pones?

–Pues... sí.

–Bueno, pues te queda bien. Parece que esta noche yo soy la Duff. Muchas gracias, B.

Me guiñó un ojo y no pude evitar sonreír. Últimamente, a Casey le había dado por apropiarse de la palabra «Duff», introduciéndola en nuestras conversaciones informales. Al principio me había resultado un tanto incómodo. Después de todo, aquella palabra era un insulto, era horrible. Sin embargo, tras la revelación que había tenido aquel día en el baño con Vikki, me di cuenta de lo que estaba haciendo Casey. Ahora la palabra era nuestra y, mientras nos aferráramos a ella, podíamos controlar el daño que infligía.

–Es un trabajo duro –bromeé–, pero alguien tiene que hacerlo. Prometo ser la Duff el próximo fin de semana.

Casey se rió.

–¿Llevas sujetador con relleno? –me soltó Jessica, ajena al parecer a nuestra conversación–. Tus tetas parecen más grandes.

Se produjo un largo silencio y de repente comprendí que habría estado más segura con mi madre. A Casey le dio un ataque de risa mientras yo hundía la cara en las manos, muerta de vergüenza. Toby no mostró ninguna reacción, gracias a Dios. Si lo hubiera hecho, me habría suicidado allí mismo en el coche. Me habría golpeado la cabeza contra la ventanilla hasta aplastarme el cerebro como si fuera una tortita. En vez de reírse por lo bajo o echarle un vistazo a mi pecho para ver si Jessica tenía razón, Toby se comportó como si nadie hubiera mencionado la palabra «tetas». Simplemente metió la llave en el contacto y salió de la entrada de mi casa.

«Nota mental –pensé–. Cargarme a Jessica cuando no haya testigos.»

Aunque, de una forma extraña, la falta de reacción de Toby me fastidió. Wesley habría hecho una broma. Me habría mirado el pecho, por supuesto, pero luego habría dicho algo. Me habría hecho reír. No lo habría ignorado sin más como Toby.

¡Por Dios! Eso no debería molestarme.

–¿Sabéis qué? –dijo Casey cuando por fin consiguió dejar de reír–. Es muy guay que nos hayáis invitado a ir con vosotros. –Me sonrió y supe que se alegraba de que la hubiera incluido–. Pero os dais cuenta de que va a arruinaros la cita, ¿no?

–¿Y eso? –preguntó Toby.

–¡Porque vamos a ser vuestras carabinas! –exclamó Jessica con demasiado entusiasmo.

–Por lo que nuestra labor será impedir cualquier forma de ñaca-ñaca –añadió Casey–. Y disfrutaremos haciéndolo.

–Exacto.

Pero Toby y yo no teníamos nada de lo que preocuparnos. En cuanto entramos en el Nest, mis amigas salieron disparadas hacia la pista de baile, agitando el pelo y meneando el trasero como siempre.

–Parece que son ellas las que van a necesitar una carabina –comentó Toby con una risita mientras me conducía a un reservado vacío.

–Normalmente me encargo yo de eso –contesté.

–¿Crees que sobrevivirán si te tomas una noche libre?

–Ya veremos.

Sonrió y me tocó el pendiente con los dedos.

–El grupo no actúa hasta dentro de media hora –dijo mientras deslizaba la mano por mi cuello y la posaba sobre mi hombro.

No sentí nada. Si Wesley hubiera hecho eso, si hubiera recorrido mi piel con sus dedos de esa manera, me habría…

–¿Quieres que consiga algo de beber antes de que la barra se llene demasiado?

–Claro –contesté reprimiendo el pensamiento sobre Wesley–. Tomaré una Cherry… cola *light*.

–Vale. Vuelvo enseguida.

Me besó en la mejilla y se dirigió a la barra.

Estaba entrando una avalancha de personas por las puertas de la discoteca. Siempre había más gente las noches que tocaba un grupo. Unas cuantas chicas de octavo de primaria se sentaron en el reservado situado detrás del nuestro, alardeando en voz alta de que habían fingido estar en el instituto para entrar. Un chico de tercero y uno de sus amigos pasaron a mi lado, con una botella de cerveza mal disimulada asomando de la chaqueta holgada, y, durante una fracción de segundo, vislumbré a la morena de primero que Jessica y yo habíamos visto en el partido de baloncesto semanas atrás. Cruzó la puerta de la mano de un chico muy mono al que no reconocí. Incluso desde tan lejos, pude ver la sonrisa en su rostro. Estaba preciosa, y supe que una de sus pijas amigas rubias se habría visto obligada a ocupar el puesto de Duff en su ausencia. Entonces la chica y su pareja desaparecieron, arrastrados por la multitud, dejándome con una inexplicable sonrisa en los labios.

No sabía qué clase de grupo se suponía que iba a tocar; pero, basándome en la cantidad de chicos con el pelo violeta y *piercings* en los labios que estaban entrando, supuse que tendría que escuchar música *emo*. Eso me borró la sonrisa.

Genial. Quejicas con guitarras. Justo mi estilo, ¿eh?

Estaba observando distraída el torrente de gente cuando él apareció en medio de la multitud. Al principio, ni siquiera me di cuenta. Iba con Harrison Carlyle, hablando tranquilamente, mientras se abrían paso hacia la barra. Me resultó fácil seguir su avance. Medía unos cuantos centímetros más que la gente que lo rodeaba, recorría el gentío con la mirada con más confianza en sí mismo que el resto de nuestros compañeros de instituto, se movía entre la multitud con más elegancia de la que podría lograr cualquier adolescente normal, y mis ojos lo siguieron sin pedirle permiso a mi cerebro.

A medio camino de la barra, Wesley volvió la cabeza hacia donde yo estaba. Sus ojos se encontraron con los míos un instante. «Mierda.» Aparté la mirada, rogando que no me hubiera visto, aunque estaba segura de que lo había hecho.

–Dios –masculló apretando el puño por debajo de la mesa–. Es como si estuviera en todas partes.

–¿Quién está en todas partes? –me preguntó Toby mientras se sentaba frente a mí y me pasaba un vaso por la lisa superficie de la mesa.

–Nadie.

Le di un sorbo a la cola *light* e intenté no hacer una mueca. La falta de azúcar me dejó mal sabor de boca. Tragué y pregunté:

–¿Cómo dijiste que se llamaba el grupo que va a tocar?

–Black tears.

Sí. Sonaba a esa mierda de música *emo*.

–Genial.

–No he oído ninguna canción suya –admitió Toby mientras se pasaba una mano por el pelo–, pero me han dicho que son buenos. Además, son el único grupo de Hamilton. Parece que toda la demás gente que toca aquí es de Oak Hill.

–Ya.

Me moví incómoda en el asiento, plenamente consciente de que Wesley me observaba. La forma en la que sus ojos me recorrían la piel estaba volviéndome loca y esperé que Toby no notara cómo me estremecía. Probablemente pensaría que le daba al crack.

–He terminado *Cumbres borrascosas* –dije, desesperada por comenzar una conversación que me hiciera dejar de pensar en Wesley. Tardé un minuto en darme cuenta de que ese no era el mejor tema para semejante tarea.

–¿Te ha gustado? –me preguntó Toby.

–Bueno, me ha hecho pensar.

Dios, me habría dado de bofetadas. ¿No había sido ese

maldito libro lo que me había alterado, para empezar? ¿Por qué había tenido que sacarlo a relucir? Pero ahora ya era demasiado tarde para cambiar de tema. Toby se había embarcado en una crítica completa del libro.

–Te entiendo. Siempre me he preguntado qué llevó a Emily Brontë a decidir crear unos personajes tan desagradables. Me refiero a que, durante todo el libro, no podía dejar de pensar que tanto Heathcliff como Linton eran unos auténticos cabrones, y Cathy…

Hice girar la pajita en el vaso, escuchando solo a medias. Cada vez que Toby decía «Heathcliff», mi mirada pasaba de manera automática por encima de sus hombros para echarle un vistazo a Wesley. Estaba guapísimo, como siempre: llevaba vaqueros y una ajustada camiseta blanca debajo de una chaqueta negra algo holgada. Estaba sentado solo, con las piernas estiradas y los codos apoyados con aire relajado en el borde de la barra.

Estaba solo. No tenía ni una sola chica pegada. Por Dios, hasta Harrison había desaparecido. Joe era la única persona lo bastante cerca como para hacerle compañía, pero parecía ocupado con una avalancha de góticos sedientos.

Los ojos de Wesley no se apartaron de mí ni un momento. Me costaba leer su expresión desde donde me encontraba, pero no vacilaron ni un segundo. Sí, me ponía nerviosa, pero sabía que me sentiría decepcionada, puede que incluso dolida, si descubría que había apartado la vista. Hasta me encontré mirando cada pocos minutos para comprobar si seguía observándome.

–¿Bianca?

Me sobresalté y volví a concentrarme en Toby.

–¿Sí?

–¿Pasa algo?

Sin darme cuenta, mis dedos habían estado jugueteando con el pequeño colgante en forma de «B» y bajé la mano de inmediato.

–No, estoy bien.

–Casey me advirtió que probablemente mientes cuando dices eso.

Apreté los dientes y examiné la pista de baile en busca de mi supuesta amiga. Acababa de añadirla a mi lista de víctimas.

–Y creo que tiene razón –añadió Toby con un suspiro.

–¿Qué?

–Bianca, me doy cuenta de lo que está pasando. –Miró a Wesley por encima del hombro antes de volverse de nuevo hacia mí asintiendo con la cabeza–. Ha estado mirándote desde que llegó.

–¿De verdad?

–Puedo verlo en esos espejos de ahí. Y tú también has estado mirándolo. Y no es solo esta noche. He visto cómo te mira en el instituto, en los pasillos. Le gustas, ¿no?

–No… no lo sé. Supongo.

Ay, Dios, qué momento más incómodo. Seguí haciendo girar la pajita entre los dedos y observé las olitas que se formaban en la superficie de mi bebida. No podía mirar a Toby a la cara.

–A mí no me hace falta suponer. Está claro como el agua. Y tu forma de mirarlo me hace pensar que tú también estás enamorada de él.

–¡No! –exclamé soltando la pajita y fulminando a Toby con la mirada–. No, no y no. No estoy enamorada de él, ¿vale?

Toby esbozó una leve sonrisa y dijo:

–Pero sientes algo por él.

No vi ningún indicio de dolor en sus ojos, solo una pizca de diversión. Eso hizo que me resultara mucho más fácil responder.

–Pues… sí.

–Entonces, ve con él.

Puse los ojos en blanco sin pretenderlo. Simplemente era algo automático.

–Por Dios, Toby, parece una frase sacada de una peli mala.

Toby se encogió de hombros.

–Tal vez, pero lo digo en serio, Bianca. Si sientes eso por él, deberías estar allí.

–Pero ¿y qué pasa con…?

–No te preocupes por mí –me aseguró–. Si quieres estar con Wesley, eso es lo que deberías hacer. Salir conmigo no hará que tus sentimientos por él desaparezcan. Si lo sabré yo… No te preocupes para nada por mí, Bianca. La verdad es que yo estoy en la misma situación que tú, pero no quería admitirlo.

–¿Qué?

Ahora fue Toby el que clavó la mirada en su vaso mientras se colocaba bien las gafas, nervioso.

–No he superado lo de Nina.

–¿Nina? ¿Tu ex?

Asintió con la cabeza.

–Rompimos hace más de un mes, pero todavía pienso en ella. Me gustas mucho, y creí que si salíamos tal vez me olvidaría de ella. Durante un tiempo funcionó, pero…

–Bueno, pues entonces deberías llamarla. En lugar de

quedarte aquí sentado lamentándote, deberías llamar a Nina y decirle lo que sientes. Esta noche.

Toby levantó la vista y me miró.

–¿No estás enfadada? ¿No te sientes utilizada?

–Eso me convertiría en una tremenda hipócrita, puesto que se podría decir que yo también estaba utilizándote. Aunque te aseguro que no era mi intención. –Me levanté del reservado e hice una pausa para recobrar el equilibrio sobre los zapatos de plataforma–. Y que conste que si Nina no quiere volver contigo es una idiota. Creo que eres el chico más dulce y amable que he conocido en mi vida, y he estado loquita por ti durante años. Desearía con toda mi alma que fueras el indicado para mí.

–Gracias –dijo Toby–. Y si Wesley te rompe el corazón, te juro que... Bueno, diría que le daría una paliza, pero ambos sabemos que eso es físicamente imposible. –Se miró los brazos flacuchos con el ceño fruncido–. Así que le escribiré una carta muy dura.

–Muy bien –contesté con una carcajada. Me incliné sobre la mesa y le di un beso en la mejilla–. Y gracias.

Me dedicó una de sus sonrisas perfectas, que recordaría el resto de mi vida, y me dijo:

–Estás dándole largas. Vete ya.

–Sí. Vale. Nos vemos en clase, Toby.

–Adiós, Bianca.

Realicé una inspiración larga y profunda para calmar los nervios mientras buscaba de nuevo la mirada de Wesley. A continuación, con una ligera sonrisa tirándome de las comisuras de la boca, empecé a abrirme paso por la atestada discoteca dejando atrás al chico más amable del mundo.

La habitual música tecno había dejado de sonar y toda la gente se había quedado allí parada esperando a que el grupo saliera al escenario. Tuve que zigzaguear entre los cuerpos inmóviles, ya que nadie fue lo bastante atento como para apartarse ni un milímetro.

Divisé a Casey entre la multitud (su cabeza rubia sobresalía por encima de todas las demás, menos la del chico que tenía al lado, el jugador de baloncesto al que llevaba semanas echándole el ojo) y supe que no le gustaría mi decisión. En su mente, Wesley era el responsable de que hubiera pasado de ella. Puede que se disgustara conmigo. Incluso hasta que se cabreara. Pensaría que estaba abandonándola de nuevo. Así que iba a tener que demostrarle que estaba equivocada. Demostrarle que Toby, al que adoraba, no era el chico adecuado para mí.

Cuando estaba a unos tres metros de la barra, un sonido llenó los altavoces, pero no se trataba de la música *emo* que estaba esperando. En cambio, un pitido de acople me atacó los oídos… y me dio un susto de muerte. Me sobresalté de tal manera que di un brinco, lo que no habría supuesto ningún problema con otros zapatos. Apoyé el pie sobre un lado de la plataforma, perdiendo el equilibrio por completo; pero, antes de poder recuperarme, el tobillo cedió y me hizo caer (de bruces, por supuesto) en el suelo de madera. ¡De fábula!

No pude contener un gemido cuando una punzada de dolor me recorrió el tobillo que me había torcido.

–¡Joder! –gruñí–. ¡Ay, ay, ay! Dios, cómo odio estos malditos zapatos.

–Entonces, ¿por qué te los has puesto?

Sentí un hormigueo en la piel cuando unas manos me

sostuvieron por los codos y me ayudaron a levantarme. Wesley se dio cuenta de que yo no podía mantener el equilibrio sobre mis pies, así que me pasó un brazo por la cintura y me acompañó a un taburete de la barra.

—¿Te encuentras bien? —me preguntó mientras me ayudaba a sentarme. Por su sonrisa, noté que estaba intentando contener la risa.

—Sí —farfullé, y me permití una leve sonrisa.

En realidad, no sentía mucha vergüenza. No con Wesley. Si se hubiera tratado de cualquier otra persona, habría salido corriendo (o cojeando) de la discoteca. Pero con Wesley no pasaba nada. Podíamos reírnos de ello juntos.

Pero la sonrisa se le borró y en su rostro apareció una expresión seria. Me miró fijamente un rato, y ese silencio estaba a punto de sacarme de quicio, cuando por fin habló:

—Bianca, yo...

—¡Bianca! ¡Ay, Dios mío!

Jessica apareció de repente a mi lado, con las mejillas sonrosadas por la emoción y el baile. A su espalda, el grupo había empezado a tocar (o a intentar tocar) una versión *emo* de una canción de Johnny Cash. Era horroroso, pero Jessica consiguió hacerse oír por encima del ruido.

—¡Ay, Bianca, por fin te encuentro! ¿Lo has visto? ¡Harrison y yo hemos bailado juntos! Creo que tal vez me pida que vaya con él al baile de graduación. ¿No sería genial?

—Felicidades, Jessica.

—¡Tengo que ir a contárselo a Angela! —Entonces se fijó en Wesley y en su cara apareció una sonrisa de complicidad mientras decía—: Os veo luego.

Y desapareció agitando su coleta rubia.

Wesley la vio perderse entre la muchedumbre con una expresión de diversión.

—Sabe que a Harrison le van los tíos, ¿no?

—Déjala tener esperanza —contesté sonriendo para mis adentros.

Wesley volvió a concentrarse en mí.

—Sí. La esperanza es buena. Bianca, yo... —Sonrió con picardía—. Sabía que acabarías cediendo tarde o temprano. —Me colocó una mano en la rodilla y la subió con suavidad por mi muslo—. Por fin vas a admitir que me amas, ¿no?

Le aparté la mano de un manotazo.

—En primer lugar —comencé—, no te amo. Amo a mi familia y puede que a Casey y a Jessica; pero hacen falta años y años para que surja el amor de verdad. Así que no te amo. Pero estoy dispuesta a admitir que he pensado mucho en ti últimamente y que indudablemente siento algo por ti... aparte de odio, claro. Y quizá sea posible que, en el futuro, pueda... amarte. —Vacilé, un tanto asustada por las palabras que acababan de salir de mi boca—. Pero aun así me dan ganas de matarte la mayor parte del tiempo.

La mueca arrogante de Wesley se convirtió en una auténtica sonrisa.

—Dios, cómo te he echado de menos. —Se inclinó para besarme, pero levanté una mano para detenerlo—. ¿Qué pasa?

—No voy a irme a la cama contigo esta noche, cretino —dije recordando a Vikki y el susto que había pasado. No es que fuera a convertirme de pronto en una monja ni nada por el estilo; pero, después de darme cuenta de lo fácil que podíamos haber intercambiado los papeles, sabía que algunas cosas tendrían que ser diferentes—. Si vamos a hacer esto, lo haremos bien. Vamos a avanzar al ritmo de una relación de instituto normal.

Wesley estiró la mano para tocar la pequeña «B» blanca que descansaba entre mis clavículas e hizo girar el colgante que me había regalado mi madre entre el pulgar y el índice con aire casi distraído.

–Pero ninguno de los dos somos normales.

–Es verdad –admití–. Pero esta parte de nosotros va a ser normal. Mira, no digo que no podamos volver a llegar a ese punto. Simplemente… nos tomaremos las cosas un poco más despacio.

Wesley lo pensó un momento antes de dejar que aquella sonrisa torcida volviera a aparecer en sus labios.

–De acuerdo –dijo inclinándose un poco hacia delante para mirarme a los ojos–. Me parece bien. Podemos hacer otras cosas. –Soltó el collar, me pasó los dedos por la clavícula y los deslizó por mi brazo provocándome un estremecimiento–. Me parece que dejé algo a medias. La última vez, en tu cuarto, nos interrumpieron; pero podría volver a demostrártelo. Es más, estoy deseando demostrártelo.

Respiré hondo intentando hacer caso omiso de esa afirmación y del torrente de excitación que me provocó.

–Vamos a tener citas –continué después de carraspear–. Citas agradables. Y tampoco volverás a llamarme Duffy.

La sonrisa de suficiencia de Wesley desapareció y se mordió el labio.

–Bianca –dijo en voz baja. Casi no podía oírlo con la música–. Lo siento. No sabía cuánto te hería esa palabra. Nunca debería haberte dicho que eras la Duff. Entonces no te conocía. No…

Negué con la cabeza.

–No te molestes en buscar excusas. No pierdas el tiempo, porque la verdad es que sí soy la Duff. Pero también lo es el resto del mundo. Todos somos unos malditos Duff.

–Yo no soy un Duff –repuso Wesley con confianza.

–Eso es porque no tienes amigos.

–Ah. Cierto.

–Y –continué– es probable que me comporte como una bruja la mayor parte del tiempo. Te garantizo que encontraré una razón para gritarte casi todos los días, y no te sorprendas si te tiro algunas bebidas a la cara de vez en cuando. Yo soy así y vas a tener que aceptarlo. Porque no pienso cambiar ni por ti ni por nadie. Y…

Wesley se bajó del taburete y apretó sus labios contra los míos antes de que las palabras pudieran salir de mi boca. El corazón se me desbocó a la vez que la mente se me quedaba en blanco. Me rodeó la cintura con un brazo, pegándome a él todo lo posible, y ahuecó la mano libre sobre mi cara, acariciándome el pómulo con el pulgar. Me besó con tanta pasión que pensé que acabaríamos ardiendo.

A ambos nos faltaba el aire cuando se apartó, y solo entonces pude volver a pensar con claridad.

–¡Cretino! –grité mientras lo alejaba de un empujón–. ¿Me besas para hacerme callar? Dios, eres tan odioso… Ahora mismo tengo ganas de lanzarte algo a la cabeza.

Wesley se subió de un salto a su taburete con una enorme sonrisa y, de pronto, recordé que me había dicho que estaba sexy cuando me enfadaba con él. Qué cosas.

–Oye, Joe –dijo llamando al camarero–. Creo que Bianca quiere una Cherry Coke.

No pude reprimir la sonrisa. Wesley no era perfecto, ni por asomo; pero, vaya, yo tampoco. Los dos estábamos bastante jodidos. Sin embargo, de alguna manera, eso lo hacía todo más emocionante. Sí, era enfermizo y retorcido; pero así es la realidad, ¿no? Es imposible huir de ella, así que ¿por qué no aceptarla?

Wesley me cogió la mano y entrelazó sus dedos con los míos.

—Esta noche estás preciosa, Bianca.

Agradecimientos

Quiero darle las gracias a la maravillosa gente con la que he tenido el honor de trabajar. A mi editora, la incomparable Kate Sullivan, cuya amabilidad y perspicacia me han ayudado a que este libro sea un millón de veces mejor de lo que nunca podría haberme imaginado. A todo el equipo de Poppy por su abrumador entusiasmo. Y a mi fabulosa agente, Joanna Stampfel-Volpe (que es, sin lugar a dudas, la mayor fan de este libro), por entenderme siempre. Gracias a todos por hacer mis sueños realidad.

Muchas gracias a mis animadoras: Hannah Wydey, Linda Ge y Krista Ashe, por leer el primer borrador de este libro y aun así adorarlo. A Amy Lukavics, mi mejor amiga por internet y una mujer absolutamente asombrosa, por darme ánimos desde el primer capítulo. ¡El destino ha unido nuestros caminos! Y a Kristin Briana Otts, Kirsten Hubbard y Kristin Miller por ser el mejor grupo de apoyo del mundo. Espero que algún día las 4K podamos organizar una gira literaria. Y mi agradecimiento también para la gente de Teens Writing for Teens, YA Highway y Absolute Write. No podría haber logrado esto sin vosotros.

Mi más eterno agradecimiento a mis amigos, que me han brindado todo su apoyo: Shana Hancock, Molly Troutman, Stacy Timberlake, Aja Wilhite, Kyle Walker, Cody Ogilby y Allison Austen. Gracias por aguantarme mientras escribía este libro, ¡incluso cuando probablemente os sacaba de vuestras casillas!

Y, sobre todo, gracias a mi familia. Mamá, papá y Chelle: vosotros estabais seguros de que acabaría siendo escritora, incluso cuando yo pensaba que era imposible. No sería nada sin vuestro ánimo, paciencia y amor. No todo el mundo tiene la suerte de contar con una familia que apoya sus inclinaciones artísticas. Muchas gracias por creer en mí. Os quiero.

Tu opinión es importante.

Por favor, haznos llegar tus comentarios a través de nuestra web y nuestras redes sociales:

www.plataformaneo.com

www.facebook.com/plataformaneo

En la segunda novela de Stephanie Perkins,
la joven diseñadora de moda Lola Nolan descubrirá
que el amor está más cerca de lo que cree.

JENNIFER L. ARMENTROUT

OBSIDIAN

SAGA LUX

¿Y si el amor viajara a la velocidad de la luz?

neo
plataforma

Katy está a punto de descubrir que su sexy
y arrogante vecino no es exactamente de este planeta.
¡Déjate seducir por la invasión alienígena que ha cautivado
a miles de lectores en todo el mundo!